Paul-Jacques Bonzon

Les
Six Compagnons
et
l'homme des neiges

HACHETTE

Chapitre 1

Celui qui n'était pas invité

Un robinet qui débite 350 litres à l'heure coule dans une cuve cylindrique de 0,90 m de profondeur et de 1,20 m de diamètre. Mais une fuite fait perdre à la cuve 8 litres par quart d'heure. Dans combien de temps la cuve sera-t-elle pleine ?

« Pas de chance ! dit Corget. Encore un problème de robinet. Le maître le fait exprès, parce qu'on n'y comprend rien... Et avec une fuite par-dessus le marché, comme si on n'avait pas pu réparer la cuve avant de l'emplir ! Tu sais le faire, ce problème, toi, Tidou ?

— Je vais essayer. »

Chacun se mit au travail dans un silence interrompu par des soupirs de découragement et des froissements de feuilles de brouillon.

Depuis dix minutes, je m'évertuais à chercher le volume de la cuve percée à l'aide de ce diabolique nombre 3,14, quand Corget me poussa du coude.

« Lève-toi ! »

M. le directeur entrait. En général, ses visites

n'annonçaient rien de bon. Quand ce petit homme rond et chauve pénétrait dans une classe, c'était, le plus souvent, pour annoncer une mauvaise nouvelle, une punition collective à la suite d'une bousculade dans les rangs, ou pour procéder à une enquête sur la disparition d'un imperméable au vestiaire.

« Il vient peut-être pour la fuite, me souffla Corget.

— Quelle fuite ?

— Celle de la cuve, parbleu ! »

Je retins un éclat de rire pour ne pas risquer une punition. Mais pour une fois, M. le directeur paraissait de bonne humeur.

« Mes enfants, annonça-t-il, je vous apporte une nouvelle qui, j'en suis sûr, sera accueillie avec joie. Vous venez d'être désignés pour un stage de trois semaines en montagne, comme classe de neige. »

À ces mots : « classe de neige », les têtes se tournèrent instinctivement vers les fenêtres, comme si, par magie, le sinistre brouillard lyonnais s'était d'un seul coup transformé en flocons blancs. Oubliant que nous étions à l'école, Gnafron se mit à battre des mains. La salle tout entière éclata en un formidable bravo que ni le maître ni le directeur n'osèrent réprimer, tant notre joie devait faire plaisir à voir.

Trois semaines dans la neige !... Adieu les robinets, les cuves qui fuient ! Adieu les conjugaisons, les dictées truffées de pièges !

« Malheureusement, ajouta le directeur, je ne puis, pour l'instant, apporter d'autre précision. Je vous donnerai, en temps utile, les indications nécessaires. »

Et il s'en fut, tout souriant. Inutile de dire que, le

reste de l'après-midi, malgré beaucoup de bonne volonté, nous eûmes l'esprit ailleurs qu'à la Croix-Rousse. Nos yeux distraits ne voyaient que de la neige, des montagnes de neige étincelante.

Le soir, à la sortie, la bande des Compagnons se retrouva sur le boulevard pour discuter de cette extraordinaire nouvelle. Il y avait le petit Gerland, ou plutôt Gnafron, noir de cheveux et brun de peau ; le silencieux la Guille, ainsi nommé parce qu'il venait du quartier de la Guillotière, à l'autre bout de Lyon ; Bistèque, le fils d'un commis-boucher ; le Tondu qui avait perdu tous ses cheveux au cours d'une grave maladie et qui portait toujours un béret, même en classe ; Corget, le chef de la bande, le seul à n'avoir pas de surnom ; et enfin moi, Tidou. Seule manquait Mady, l'unique fille de l'équipe, qui fréquentait une autre école.

Alors, chacun de poser sa question. Quand partirions-nous ? Qui nous accompagnerait ? Où irions-nous ? Trouverions-nous beaucoup de neige ?

C'est que, la neige, nous ne la connaissions guère. Depuis que j'habitais Lyon, je l'avais vue tomber plusieurs fois, l'hiver, mais par flocons clairsemés qui fondaient tout de suite sur les pavés mouillés.

Pendant plusieurs jours, nous attendîmes les précisions annoncées. Elles ne venaient pas. Je commençais à me demander si nous n'avions pas rêvé. Enfin, un soir, avant l'heure de la sortie, le directeur reparut, des feuilles de papier à la main.

« Votre séjour est organisé, déclara-t-il. Vous partirez le jeudi 27 janvier pour Morzine, en Haute-Savoie, sous la conduite de votre propre maître. Sur les feuilles que voici, vos parents trouveront les instructions utiles. Au bas, une place est réservée à leur signature. Cette signature est absolument indispensable. Vous ne pourrez partir qu'avec l'autorisation formelle de vos parents. Rapportez donc ces papiers signés dès demain. »

Ce disant, il les remit au premier de la classe qui nous les distribua aussitôt. Tout était indiqué, en effet, depuis l'heure de départ jusqu'à celle du retour, en passant par les objets à emporter, linge, vêtements, argent de poche.

Encore une fois, à la sortie, toute la bande se réunit sur le boulevard.

« Moi, je suis tranquille, dit tout de suite Gnafron. Ma mère va signer les yeux fermés.

— Mon père aussi, fit Corget.

— Chez moi, déclara la Guille, il y aura peut-être un peu de "tirage" parce que je viens d'avoir une bronchite, mais j'en fais mon affaire. »

Bistèque et le Tondu, eux, s'inquiétaient plutôt pour le trousseau. Ils trouvaient un peu longue la liste des vêtements à emporter. Leurs parents n'étaient pas riches. N'hésiteraient-ils pas devant une dépense supplémentaire ?

Moi non plus, je n'étais pas très rassuré... pas pour le trousseau, mais à cause de maman. Nous avions longtemps habité en Provence. Maman avait horreur de la neige. Quand je lui montrai la feuille, elle leva les bras au ciel.

« Mon Dieu, Tidou ! Trois semaines à patauger dans la neige, toi qui n'as jamais fait de ski et qui t'enrhumes si facilement ! Tu n'as donc pas peur de prendre du mal dans ce pays froid ?

— Mais les autres, maman, je suis sûr que leurs parents les laisseront partir !

— Ce n'est pas la même chose, Tidou. Ils sont lyonnais, eux, habitués à l'humidité et au brouillard... Tandis que toi, un petit Provençal !... »

Heureusement, quand mon père rentra de son travail, il sut tout de suite calmer ses inquiétudes.

« Bah ! fit-il, Tidou n'est pas plus sujet aux rhumes que n'importe quel garçon de son âge. D'ailleurs, c'est pour leur santé qu'on envoie ces enfants là-haut. Et puis, ils ne seront pas toute la journée dans la neige. Le matin, ils auront leurs cours, comme à Lyon. Voyons, tu ne voudrais tout de même pas que Tidou manque la classe pendant trois semaines ?

— Évidemment, soupira maman, il ne faut pas qu'il manque la classe. Après tout, c'est peut-être moi qui me fais des idées sur la neige. Tidou n'aura qu'à bien se couvrir. »

La partie était gagnée. Je sautai au cou de mon père et l'embrassai.

Le lendemain, je rapportai donc la fameuse feuille signée à la fois par mon père et ma mère. Les cinq autres Compagnons, eux aussi, avaient la leur.

Alors, pendant les cinq jours qui nous séparaient du départ, il ne fut plus question que de neige. Sur une carte, nous avions repéré la station de Morzine, en plein cœur de la Haute-Savoie. La Guille apporta même deux images de ce bourg, découpées dans une revue, deux reproductions en couleurs avec des chalets croulant sous la neige. Enfin nous allions faire de la luge, du ski ! Ce serait bien autre chose que de dégringoler la rue des Hautes-Buttes sur des patins à roulettes. Mais Corget s'inquiétait déjà.

« Pourvu que là-bas nous ne soyons pas séparés !

— Penses-tu, le rassura Bistèque, puisque c'est notre maître qui nous accompagne ! Il est gentil. Nous n'aurons qu'à lui dire que nous voulons rester ensemble. »

Hélas ! la bande des Compagnons de la Croix-Rousse ne serait quand même pas complète, sans notre bonne camarade Mady et mon chien Kafi. Pour Mady, bien sûr, c'était absolument impossible ; mais Kafi ? J'étais si ennuyé de le laisser pendant trois semaines que je m'enhardis à en parler à M. Mouret, notre maître. Il me répondit :

« Non, Tidou, impossible de l'emmener ! D'ailleurs, il serait malheureux dans la neige. Il n'y est pas habitué. »

Le départ était donc fixé au jeudi 27 janvier. Les trente-six élèves devaient se rendre par leurs propres moyens à la gare de Perrache, la plus grande gare de Lyon.

« Surtout, pas de retardataires ! avait recommandé M. Mouret. Le train n'attend jamais personne. »

La bande des Compagnons de la Croix-Rousse s'était donné rendez-vous devant l'ancien atelier de la Rampe des Pirates qui nous servait de lieu de réunion (notre « caverne », comme nous l'appelions). Les familles, même les plus pauvres, s'étaient mises en frais. Neufs ou d'occasion, nous arborions tous les six de superbes anoraks imperméables, comme le conseillait la fameuse feuille. Suivant même avec trop de zèle les instructions qui recommandaient d'emporter, par précaution, une petite couverture, nos parents nous en avaient donné deux ou même trois... et pas des plus minces. Pour mon compte, mes bagages se composaient de deux

10

grosses valises et d'un énorme sac tyrolien qui me sciait le dos. Un véritable déménagement !

Mady, qui m'avait demandé de lui confier Kafi pendant mon absence, avait promis, puisque c'était jeudi, de nous accompagner à la gare. Elle arriva au dernier moment. Mon chien était avec elle. Je m'en étonnai.

« Oh ! Mady, pourquoi as-tu amené Kafi ? Tu sais qu'on n'accepte pas les chiens dans les trolleybus... Tu ne viens donc pas avec nous jusqu'à la gare ? »

Elle sourit, de ce sourire malicieux que nous connaissions bien.

« Si, je vous accompagne... et Kafi aussi ! Au-dessous de chez moi, dans la rue des Hautes-Buttes, habite un camionneur que papa connaît. Il est venu passer un moment chez nous, hier soir. Par hasard, il a dit qu'il devait faire ce matin un chargement dans le quartier de Perrache. J'ai tout de suite pensé qu'il pourrait vous emmener. Il vous attend au coin de la place Morel. Dépêchons-nous. Ce ne serait pas chic de le faire attendre. »

Décidément, Mady avait toujours de bonnes idées. Et nous voilà dégringolant jusqu'à la place Morel avec armes et bagages. La voiture de livraison était assez grande, pour nous recevoir tous parmi sacs et valises, tandis que Mady s'installait devant, à côté du chauffeur.

À dix heures sonnantes, nous débarquons devant la gare. Presque tous nos autres camarades sont déjà là, accompagnés qui d'une mère, qui d'un père, qui d'une grande sœur ou d'un grand frère... quand ce n'est pas de la famille au complet. Nous nous sentons très fiers d'avoir réussi, tous les six, à persuader nos parents que nous étions assez grands pour partir seuls.

M. Mouret, sifflet en sautoir sur son anorak (lui aussi s'est offert un superbe anorak), nous aperçoit et s'approche. En voyant Kafi, il fronce les sourcils.

« Comment ! Tu as quand même amené ton chien ?... Tu ne te souviens pas de ce que j'ai dit ?

— Si, m'sieur. Kafi est seulement venu à la gare avec Mady, notre camarade, qui le reconduira chez elle pour le garder pendant ces trois semaines.

— Ah ! bien. »

Rassuré, le maître s'éloigne pour accueillir d'autres arrivants. Restés seuls, nous bavardons dans le grand hall animé. Mady veut paraître gaie ; cependant, je la sens un peu triste.

« Vous avez de la chance, dit-elle. Mais je ne suis pas jalouse. D'ailleurs, même si mon école partait aussi en classe de neige, je ne pourrais pas l'accompagner. Je ne suis pas encore assez guérie. La maladie que j'ai eue l'an dernier était trop grave. Le docteur m'a interdit le sport... Et puis, pour me tenir compagnie, j'aurai Kafi. »

En entendant son nom, Kafi lève la tête ; lui aussi a le regard triste. Il a très bien compris que je partais sans lui.

Soudain, coup de sifflet ! M. Mouret sonne le rassemblement. C'est le moment de passer sur le quai. Mady tient à nous y suivre, avec Kafi en laisse. Le train est déjà en gare. Un demi-wagon nous a été réservé. Tandis que nous nous installons, tous les six, dans le même compartiment, Mady a toutes les peines du monde à empêcher Kafi de monter avec nous. Pour plusieurs des Compagnons (et je suis de ceux-là), c'est la première fois qu'ils prennent le train. Quelle joie ! Sacs et valises sont prestement entassés dans les filets, puis nous abaissons la vitre pour bavarder encore avec notre camarade restée sur le quai.

Sous le grand hall vitré de la gare passe un courant d'air glacé qui oblige Mady à relever le col de son manteau bleu. Jouant le rôle de grande sœur, elle se permet gentiment toutes sortes de recommandations :

« Amusez-vous bien, là-haut !... écrivez-moi souvent !... racontez-moi vos promenades dans la neige ! »

Mon pauvre Kafi a pris un air de plus en plus malheureux. Dressé au bout de sa laisse, il pose ses pattes de devant sur le flanc du wagon et me regarde en poussant de petits gémissements.

« Tiens-le bien, Mady ! Il serait capable de t'échapper quand le train va partir. »

Voici, en effet, l'heure du départ. Une voix nasillarde hurle dans un haut-parleur : « Train express pour Thonon-les-Bains ! En voiture, s'il vous plaît ! »

Nous nous penchons à la baie, les mains tendues une dernière fois vers Mady qui lance :

« Je vous souhaite du soleil, de la belle neige ! »

Et d'ajouter, avec son petit air malicieux :

« Surtout pas de nouvelles et extraordinaires aventures !... D'ailleurs, sans Kafi, vous ne trouveriez pas la clef de l'énigme. »

Un coup de sifflet, une légère secousse et le train s'ébranle.

« Au revoir, Mady !

— Au revoir, les Compagnons ! »

Lentement, le train glisse sur les rails. Nous nous

tendons pour apercevoir encore Mady et Kafi. Déjà, le petit manteau bleu à col de fourrure se perd dans la foule restée sur le quai. Nous agitons nos mouchoirs, mais tout à coup, au moment où, sur l'ordre du maître, Bistèque commence à remonter la vitre, Gnafron pousse un cri :

« Kafi ! »

Kafi s'est échappé des mains de Mady, profitant de l'instant où elle sortait son mouchoir pour répondre à nos adieux. Il court à perdre haleine, sur les voies, cherchant à rattraper le train qui prend de la vitesse. Il galope si vite qu'il est presque parvenu à rejoindre notre wagon. De toutes mes forces, je crie :

« Va-t'en !... Va-t'en, Kafi ! »

Dans le fracas du roulement, Kafi n'entend pas. Langue pendante, il continue de suivre le convoi, dans une galopade effrénée. La gare est déjà à plus d'un kilomètre. Mon Dieu ! que va-t-il arriver ?... Dans quelques instants, Kafi ne pourra plus suivre le train, qui accélère sa marche ; il se retrouvera sur les voies, loin de la gare, complètement perdu...

Affolé, je me précipite vers M. Mouret comme s'il pouvait faire quelque chose pour mon chien quand, tout à coup, je crois entendre le train freiner... Oui, il ralentit son allure, il s'arrête devant un signal rouge. Haletant, mon pauvre Kafi rejoint notre wagon. Les flancs battants, il me regarde désespéré. Je me tourne à nouveau vers le maître.

« Oh ! m'sieur, laissez-le monter avec nous. S'il reste sur les voies, il ne retrouvera pas la gare, il est perdu... Sauvez-le ! »

M. Mouret hésite, mais, au moment où le train s'ébranle de nouveau, il bondit dans le couloir, ouvre la porte donnant sur la voie, et Kafi saute dans le wagon.

Chapitre 2

Une étrange voyageuse

Nous roulions dans un gros car beige qui remontait péniblement une vallée encaissée où grondait un impétueux torrent.

À la descente du train, à Thonon-les-Bains, notre déception avait été grande. Sous le ciel gris et bouché, le fameux lac Léman dont le maître nous avait vanté la beauté était aussi invisible que s'il n'avait pas existé... Et surtout, dans la campagne, sur la ville, pas la moindre trace de neige.

« Quelle malchance ! s'était écrié Bistèque, le "rouspéteur" de la bande. Au lieu de skis, nous aurions dû apporter nos patins à roulettes. »

Quittant le train, nous nous étions enfournés dans ce car beige qui stationnait devant la gare... En route pour Morzine ! À nous seuls, nous occupions plus qu'à moitié la grosse voiture. Pour rester séparés des autres voyageurs, nous nous étions entassés au fond, et Kafi se tenait serré entre mes jambes.

Pauvre Kafi ! Je tremblais encore à la pensée de ce qui serait arrivé si, par un miraculeux hasard, un signal rouge n'avait pas obligé le train à stopper. M. Mouret s'était d'abord montré très fâché. Il avait presque cru à un coup monté pour emmener mon chien. Mais, il l'avait vite reconnu, c'était trop invraisemblable.

D'ailleurs, Kafi avait su, depuis, se faire pardonner. Durant le voyage, dans le train, il s'était montré si sage, si discret, que le contrôleur ne l'avait même pas aperçu. Heureusement pour moi, qui aurais dû payer sa place.

« Toutefois, avait déclaré M. Mouret, je ne t'autoriserai pas à le garder avec nous. Tu t'arrangeras pour trouver quelqu'un qui s'occupera de lui pendant ces trois semaines. »

Et, pensant à Mady, il avait ajouté :

« Ta camarade doit se désoler de l'avoir laissé s'échapper. En arrivant là-haut, tu ferais bien de lui envoyer un mot pour la rassurer. »

Le car montait toujours, grondant, trépidant, virant à droite, à gauche. J'étais assis à côté de Gnafron, après le dernier rang des autres voyageurs. Devant nous était installée une vieille paysanne savoyarde, au foulard noir noué sous le menton. À côté d'elle se tenait une fillette d'une dizaine d'années, vêtue d'un petit manteau vert pomme et coiffée d'un béret noir. Toutes deux ne se connaissaient sans doute pas ; depuis le départ de Thonon, elles n'avaient pas échangé un seul mot.

Cette fillette empruntait probablement ce car pour la première fois. À chaque instant, elle tournait la tête, d'un côté, de l'autre, pour essayer de voir le paysage à travers la buée qui couvrait les vitres. Elle paraissait impatiente d'arriver, plus exactement préoccupée.

« Je crois qu'elle était tout à l'heure dans notre train, me souffla Gnafron. Quand nous sommes descendus, je l'ai vue sur le quai de la gare... Tu ne te souviens pas, Tidou ? »

Je n'eus pas le temps de répondre. Une exclamation, partie du fond de la voiture, nous fit sursauter.

« Regardez ! clamait une voix à tue-tête. Regardez ! »

Debout, le nez contre la vitre, le Tondu montrait quelque chose sur la route. Je me penchai comme les autres. C'était une plaque de neige... suivie d'une autre, puis d'une autre encore. La neige ! Enfin la neige !

À ce moment, le car gravissait, à l'allure d'une tortue, une côte sinueuse et raide. Nous avions le temps de voir. Peu à peu, les espaces entre les taches blanches se réduisaient et, finalement, elles ne formèrent plus qu'une longue nappe de neige dont l'épaisseur grandissait elle aussi. De la vraie neige ! De la neige comme celle que nous avions admirée sur les affiches de la gare, à Lyon.

Nous étions fous de joie. Amusés par cette exubérance, les autres voyageurs riaient de notre plaisir. Seule, devant nous, la petite fille au manteau vert pomme ne partageait pas l'enthousiasme général. Plus nous approchions du but, plus elle semblait inquiète.

Enfin, à la sortie d'un tunnel, sombre comme un four, un panneau annonça Morzine à quelques kilomètres. Ce nom, à peu près inconnu de nous tous quinze jours plus tôt, était devenu le mot magique. Il nous arracha des cris de triomphe. Déjà apparaissaient les premiers chalets, encapuchonnés de neige,

pareils à des jouets de Noël. Des doigts se ten-
daient.

« Oh ! Un téléférique !... un remonte-pente !... des
skieurs !... un traîneau ! »

Agglutinés aux vitres comme des essaims au
miel, nous voulions tout voir en même temps.
Enfin, le car traversa un petit pont enjambant le torrent qui nous avait accompagnés tout le long de la
route et s'arrêta sur une place, au pied d'un curieux
clocher en forme de bulbe.

Nous étions arrivés. Ce fut à qui toucherait le
premier cette neige tant attendue qui, subitement,
nous avait rendus comme fous. Nous nous précipi-
tions pour la saisir à pleines mains, nous en bar-
bouiller le visage, nous rouler dedans.

« Plus tard, les enfants ! s'écria M. Mouret.
Occupez-vous d'abord de vos bagages ! »

Juchés sur le toit de l'autocar, deux employés
enlevaient une grande bâche et dégageaient valises
et colis. Nous nous approchâmes pour recevoir nos
affaires. Tandis que j'attendais mon tour pour récu-
pérer les miennes, Gnafron me poussa du coude.

« Regarde, Tidou !

— Quoi ?

— La gamine au manteau vert !... On dirait
qu'elle ne sait pas où aller ; elle n'a ni sac ni
valise. »

La fillette semblait perdue, en effet. Elle regardait
autour d'elle ces maisons, ce paysage qu'elle paraissait découvrir pour la première fois. Timidement,
elle s'approcha d'un skieur qui traversait la place,
ses « planches » sur l'épaule, et lui demanda
quelque chose. L'homme haussa les épaules comme
quelqu'un qui ne sait que répondre et s'éloigna.

Alors, la fillette revint vers un employé de l'auto-car, qui réfléchit un instant et, d'un geste, lui indiqua une rue, la seule rue importante du village, celle que nous avions empruntée pour arriver sur la place. La fillette remercia et s'en alla, regardant autour d'elle, comme si elle craignait de se perdre.

« Tu as vu comme elle est chaussée pour marcher dans la neige ? me souffla Gnafron. Pas même des souliers montants... et elle n'a pas de gants ! »

Je la suivais des yeux quand, du haut de l'auto-car, une voix impatiente lança :

« Eh bien, mon petit gars, qu'est-ce que tu attends ? Tu es dans la lune ? »

J'eus juste le temps d'étendre les bras pour recevoir mes deux valises et mon sac, lancés par un employé.

Quelques instants encore et tout notre « bazar », comme disait Bistèque, était descendu. Pendant ce temps, la fillette, elle, avait disparu.

« Suivez-moi, dit M. Mouret. Nous allons d'abord passer à l'école. Le directeur doit nous donner des instructions pour notre installation. »

L'école n'était qu'à deux pas de la place, recouverte, comme tous les chalets, d'un immense chapeau de neige. Qu'elle nous parut petite, à côté de notre immense bâtisse de la Croix-Rousse ! Une désagréable nouvelle nous y attendait. Le baraquement où nous devions loger était en mauvais état. La nuit précédente, une partie de sa toiture avait été « soufflée » par une rafale de vent. En cette saison, toute réparation, même sommaire, était impossible.

Sur le coup, nous eûmes grand-peur. Nous nous vîmes déjà repartant pour Lyon, sans même avoir eu le temps de goûter à la neige.

Mais l'instituteur de Morzine expliqua que, par chance, un autre baraquement avait été libéré quelques jours plus tôt que prévu. Tout était arrangé.

« D'ailleurs, dit-il, vous ne perdrez pas au change : celui-ci est plus récent, plus confortable. Malheureusement, il ne contient que trente lits et il n'est guère possible d'en ajouter d'autres. J'ai pensé, comme c'est déjà arrivé, que quelques-uns de vos élèves pourraient loger ailleurs.

— Ailleurs ? s'inquiéta M. Mouret. C'est que je suis seul pour m'occuper de ces enfants. Comment les surveiller, si je ne les ai pas tous sous la main ?

— Rassurez-vous. Cet "ailleurs" n'est qu'à deux cents mètres au-dessus du baraquement d'où on l'aperçoit parfaitement. Il s'agit d'un grenier de ferme. J'en connais les propriétaires, de braves gens sympathiques et accommodants. Ce n'est pas la première fois qu'ils logent des scouts ou des écoliers. Si les élèves que vous enverrez là-haut ont besoin de quelque chose, ils se feront un plaisir de leur rendre service. À vrai dire, vos enfants ne monteront au grenier que pour coucher ou se reposer puisque la cantine est installée dans le baraquement. Vous n'avez qu'à choisir, parmi vos plus grands élèves, les plus raisonnables. »

Tous les six, nous avions tendu l'oreille et, naturellement, la même idée nous était venue.

« M'sieur ! dit vivement Corget, nous sommes volontaires pour le grenier ! »

M. Mouret nous examina l'un après l'autre. Il avait entendu parler de nos aventures, mais il savait que nous ne les avions pas cherchées, et qu'en tout cas nous n'avions jamais fait de bêtises.

« Oui, m'sieur ! insista Gnafron, laissez-nous monter là-haut tous les six ! Comme ça, Tidou pourra rester avec son chien. Kafi ne dérangera personne. Il serait si malheureux sans son maître ! »

Gnafron venait de toucher le point sensible. M. Mouret, lui aussi, aimait les bêtes. Notre instituteur nous regarda encore une fois et sourit.

« C'est bien, messieurs les Compagnons de la Croix-Rousse, je vous autorise à vous installer là-haut. Mais attention ! Pas la moindre sottise, n'est-ce pas ? »

S'il n'avait pas été « le maître », nous lui aurions sauté au cou.

Trois quarts d'heure plus tard, tandis que la nuit commençait à se glisser entre la blancheur de la vallée et le plafond sombre des nuages, nous terminions notre installation dans notre grenier. Sur le coup, en entendant prononcer ce mot de « grenier », nous avions pensé à quelque mansarde sous un toit. Pas du tout. En Savoie, on appelle grenier une sorte de chalet miniature, tout en bois, monté sur quatre pilotis, utilisé jadis pour conserver les grains à l'abri de l'humidité et des bêtes sauvages. Pour nous, c'était mille fois mieux que la plus confortable des mansardes.

On atteignait ce petit chalet par cinq marches. L'unique pièce était minuscule : à peine plus de trois mètres sur trois ; mais les six couchettes ne tenaient pas grand-place, car elles étaient superposées : trois d'un côté, trois de l'autre. La porte d'entrée était si basse qu'il fallait se courber pour y pénétrer. Au fond, le logis ne prenait jour que par une lucarne tout juste assez large pour qu'on puisse y passer la tête.

« Formidable ! s'écria le Tondu. On se croirait encore dans le train. Et pas dans n'importe quel train, s'il vous plaît ! Dans un wagon-lit ! »

Les mains en porte-voix, il clama à la ronde :

« Messieurs les voyageurs de première classe pour Morzine, en voiture ! »

Notre silencieux la Guille, toujours un peu poète, pensa surtout au paysage.

« Quelle vue magnifique nous découvrirons, de ce pigeonnier, quand le ciel se dégagera ! »

Notre premier souci, en arrivant, fut le tirage au sort pour l'attribution des couchettes. Les meilleures places, sans aucun doute, étaient celles du haut. Elles échurent à Bistèque et au Tondu. Gnafron et la Guille « tirèrent » les places intermédiaires ; Corget et moi, celles du bas.

Corget fut un peu vexé. En tant que chef de la bande, il aurait aimé dominer la situation. En revanche, moi, j'étais satisfait. Ainsi, je serais tout près de Kafi qui coucherait sur le plancher, à portée de ma main.

Nous étions ravis d'être isolés de la ferme, qui se trouvait de l'autre côté du jardinet, ou, plutôt, de ce qui pouvait être un jardinet, car seuls dépassaient de la neige les piquets de sa clôture. Les fermiers, le père Papoz et sa femme, étaient très sympathiques. Le voisinage d'enfants plus ou moins turbulents ne paraissait pas les effrayer. Ils nous avaient tout de suite appris que deux de leurs petits-fils, à peu près de notre âge, se trouvaient en pension dans un collège de la vallée voisine.

« Installez-vous à votre fantaisie dans ce grenier, nous avait dit le père Papoz. Je vous recommande seulement de bien faire attention au feu. »

Le feu était, en effet (nous devions l'apprendre bientôt), la hantise de ces pays où tout est construit en bois et où l'eau est souvent gelée. Cependant, pour nous éclairer (le grenier n'avait pas l'électricité), le fermier nous avait donné une vieille lanterne-tempête que nous suspendîmes au plafond.

Naturellement, notre logis ne possédait pas non plus de moyen de chauffage mais, d'après le père Papoz, dans un espace aussi réduit, nous ne serions pas couchés depuis une demi-heure que nous étoufferions déjà.

L'installation terminée, la bande sortit s'ébrouer dans la neige autour du chalet (car pour nous, désormais, ce grenier serait un chalet), tandis que nos camarades, plus bas, en faisaient autant autour de leur baraquement.

Mais, tout à coup, je m'aperçus que, dans l'enthousiasme de cette installation, j'avais oublié d'envoyer une carte à Mady. Pauvre Mady ! Elle devait se faire tant de mauvais sang depuis ce matin !

« Il n'est pas encore six heures, me dit Gnafron. Nous avons le temps avant de souper. Tout à l'heure, j'ai repéré un bureau de tabac près de la place. »

Nous courûmes vers le village, suivis de Kafi, que toute cette neige effrayait quand, brusquement, il s'y enfonçait jusqu'au poitrail. Lorsque nous arrivâmes à la « station », comme on dit dans le pays, la nuit tombait. Des lumières brillaient, se reflétant sur la neige, découpant de grandes ombres bleues. Des skieurs rentraient, fourbus, leur « fagot » à l'épaule. Sur la place, les grelots d'un traîneau tintaient agréablement. Quel merveilleux spectacle pour nous, Lyonnais ! Ah ! qu'elle était loin, notre Croix-Rousse !

Le froid devait être très vif ; car l'haleine faisait un halo de buée autour des lèvres, mais nous ne le sentions pas. On ne s'en rendit compte que, par contraste, à l'impression de chaleur suffocante éprouvée en entrant dans le bureau de tabac.

Je choisis la plus belle carte postale, une vue générale de Morzine sous la neige. Sur le coin du comptoir, je griffonnai ces mots :

Chère Mady,
Rassure-toi, Kafi n'est pas perdu. Il a rattrapé le train. Il est avec nous. Je t'écrirai plus longuement bientôt.

TIDOU.

La dernière levée du soir n'était pas encore faite. Soudain, au moment où je glissais la carte dans la boîte, Gnafron tira la manche de mon anorak et me montra une forme immobile sur le pont. Je reconnus aussitôt la fillette au manteau vert. Penchée sur le parapet, elle semblait contempler l'eau qui courait, sous l'arche, dans un bruit d'enfer.

« Je me demande ce qu'elle fait là, dit Gnafron. Elle attend peut-être le dernier car, celui qui va emporter le courrier à Thonon. Attendons, nous verrons bien ! »

Malgré la nuit tout à fait tombée et le froid de plus en plus vif, nous demeurâmes sans bouger dans un coin de la place, tandis que Kafi se réfugiait sur un perron pour se mettre les pattes au sec. L'attitude de cette fillette m'intriguait. Aurait-elle été abandonnée ?

« Penses-tu ! fit Gnafron. Ça n'existe plus, les enfants abandonnés.

— Alors, que fait-elle, toute seule, sur ce pont, comme si elle ne savait pas où aller ? Il y a plus de deux heures que le car est arrivé.

— Pour moi, elle est venue voir quelqu'un à Morzine, quelqu'un qu'elle n'a pas trouvé. Elle va repartir. »

Nous n'allions pas tarder à savoir. En effet, un gros car beige semblable à celui qui nous avait amenés vint se ranger au pied de l'église. Des voyageurs s'approchèrent, s'installèrent à l'intérieur. Comme à regret, la gamine quitta le pont et se dirigea, elle aussi, vers l'autocar. Allait-elle monter ? Non, elle hésita et, finalement, demeura sur la place. Le chauffeur s'assit devant son volant. D'un long coup de klaxon, il avertit les retardataires et jeta un coup d'œil vers la gamine qui ne se décidait toujours pas.

« Ça y est, dit vivement Gnafron, j'ai compris ! Elle voudrait repartir mais elle n'a pas d'argent pour son billet. »

Riches des quelques pièces données par nos parents pour notre séjour, nous nous précipitâmes vers elle. Je lui demandai :

« Tu voudrais prendre le car et tu n'as pas assez d'argent ? Combien te manque-t-il ? »

La fillette nous regarda d'un air étrange. Une lueur d'affolement passa dans ses yeux.

« Je n'ai besoin de rien. »

Gnafron insista :

« Ne te gêne pas, ça nous ferait plaisir de te rendre service. »

Pour toute réponse, la fillette s'enfuit. Notre premier mouvement fut de courir après elle, mais puisqu'elle semblait avoir peur de nous... ! Et puis, il était tard. Nous ne voulions pas arriver les derniers au baraquement pour le repas. Je sifflai Kafi, et nous partîmes en nous hâtant.

Chapitre 3

Des pas dans la neige

Ah ! ce premier réveil au pays des neiges ! Je m'en souviendrai toute ma vie.

Fatigué par le voyage et les émotions de la veille, je dormais encore profondément quand une voix me tira de mon sommeil :

« Vite !... Levez-vous ! Venez voir ! »

C'était la Guille. Déjà tout habillé, excité comme je ne l'avais jamais vu, il nous tirait à bas de nos couchettes. Croyant à une catastrophe, le Tondu cria de son perchoir :

« Que se passe-t-il ?... Le feu ?

— Venez voir ! Venez voir ! » répétait la Guille.

D'un bond, la bande fut debout. Alors, d'un geste théâtral, la Guille poussa la porte du chalet et, en même temps, de toutes les poitrines, jaillit le même cri d'admiration :

« Que c'est beau ! »

Dans la nuit, un miracle s'était produit. Sans bruit, pendant que nous dormions, le vent avait balayé les nuages qui fermaient la vallée. Le ciel était devenu d'une pureté de cristal. En bas, l'ombre noyait encore le village, mais le soleil embrasait déjà les plus hautes cimes d'extraordinaires lueurs dorées. Oui ! c'était beau, mille fois plus beau que sur les plus belles images.

« Hein ! triomphait la Guille, qu'en dites-vous ?... Me reprochez-vous de vous avoir tirés du lit ? »

Un long moment, nous demeurâmes en extase, la bouche ouverte, le souffle coupé, devant ce féerique spectacle.

« Quelle journée formidable nous allons avoir ! s'écria Bistèque en pensant à toutes les joies qui nous attendaient. Ne perdons pas une minute. Rentrons vite passer nos vêtements ! »

Un quart d'heure plus tard, nous arrivions au baraquement. Pour ce premier jour, M. Mouret n'avait pas voulu sonner un réveil trop matinal, et tout le monde sommeillait encore. Sans bruit, nous nous glissâmes dans la salle de douches pour une bonne toilette à l'eau glacée, tellement plus agréable que l'eau chaude.

Comme nous sortions, M. Mouret se trouva devant nous.

« Comment ? Déjà debout, lavés et frais comme des lapins ? On dort donc si mal à la montagne ?

— Oh non ! m'sieur, fit la Guille enthousiaste, mais le lever de soleil était si beau ! »

Bientôt, en compagnie de nos autres camarades, enfin levés, nous nous attablions dans la partie du baraquement qui, selon les heures, servait de réfectoire ou de salle de classe. C'était notre premier petit déjeuner... petit seulement de nom, car les appétits s'aiguisaient déjà. Et il était si bon, ce lait crémeux de Savoie !

« Dire qu'à Lyon je n'aime pas le lait ! s'étonnait Bistèque. De celui-ci, j'en boirais trois bols de suite. »

Nous desservîmes nous-mêmes les tables pour transformer la pièce en lieu d'étude ; mais l'idée de reprendre l'école ne nous ennuyait pas du tout, au contraire.

« Ma parole, fit Corget en s'asseyant à côté de moi comme à la Croix-Rousse, jamais je n'ai été aussi en forme. Aujourd'hui, je réussirais un problème sur les robinets... même avec des fuites ! »

Malgré tout, une explosion de joie accueillit la décision de M. Mouret, pour cette première matinée, de ne faire que deux heures de classe au lieu de trois, pour nous laisser plus vite jouir de la neige.

À dix heures et demie, nous étions libres. Dans un petit hangar attenant au baraquement étaient rangées d'innombrables paires de skis. Chacun s'évertua à chausser les « planches » qui convenaient le mieux à sa taille. Enfin, tout le monde fut prêt. La grande aventure allait commencer. Et quelle aventure !...

Transformé en moniteur, M. Mouret débuta par une petite démonstration des principales attitudes du skieur. Ce fut pour nous une révélation.

L'adresse de notre maître nous ébahit. Nous ne le connaissions pas sous cette allure sportive. Désormais, nous l'admirerions doublement.

Sur les trente-six « gones » que nous étions (à Lyon, on appelle les enfants des « gones »), trois seulement avaient déjà fait du ski. Et encore n'étaient-ils pas très forts. Pendant deux heures, ce ne furent que chutes et rechutes accompagnées de cris, de rires, de plaisanteries. Chose incroyable, celui qui se tenait le mieux sur ses skis, c'était la Guille, lui qui avait eu tant de mal à apprendre à monter à vélo et qui dégringolait à tous les virages ! Avant la fin de la séance, il réussit, sans tomber une seule fois, à dévaler la pente depuis notre chalet jusqu'au baraquement. Toutefois, incapable de s'arrêter, il entra directement dans le dortoir.

À midi et demi, autour des tables, nous étions encore rouges comme des pivoines, avec un creux terrible à l'estomac. Ah ! si nous pouvions garder ce beau temps pendant trois semaines ! Hélas ! c'eût été beaucoup demander, et la vieille cuisinière savoyarde se méfiait. Lorsque, au moment où elle apportait le dessert — une savoureuse « tomme » du pays —, Corget lui demanda si le beau temps durerait longtemps, elle hocha la tête.

« Je ne crois pas, mes amis. Le ciel s'est découvert trop vite, cette nuit ; ce n'est pas bon signe. Je ne serais pas surprise s'il neigeait de nouveau avant peu. »

Puisque le temps risquait de se gâter, M. Mouret nous laissa rechausser nos skis sitôt le repas terminé. Quelle surprise ! Était-ce à cause de nos estomacs bien lestés ? Nous tenions mieux d'aplomb sur nos planches. Nous prenions de l'assurance. À mon tour, je réussis à descendre du chalet jusqu'au baraquement sans tomber, suivi de Kafi qui commençait à s'habituer à la neige et trouvait follement amusant de nous voir partir à la dérive, les quatre fers en l'air.

Mais la cuisinière avait raison. Vers le milieu de l'après-midi, le ciel commença à se couvrir, encapuchonnant les montagnes. Dès quatre heures, il fit à nouveau si sombre qu'on crut à l'arrivée de la nuit. Fourbus par cette journée de plein air, nos camarades regagnèrent leur gîte, tandis que nous remontions vers le chalet. Le Tondu, chargé de l'éclairage, alluma la lanterne-tempête et la suspendit au plafond.

Étendus sur nos couchettes, les membres douloureux, mais ravis, nous revécûmes cette extraordinaire et merveilleuse première journée. Chacun, très fier de ses exploits, éprouvait le besoin de les commenter. Jetant un coup d'œil par la lucarne, Bistèque s'écria :

« Ça y est ! Il neige ! Je viens de voir tomber un flocon ! »

C'était aussi la première fois que nous voyions tomber de la vraie neige. Malgré le froid, Gnafron ouvrit la porte toute grande pour la contempler et, comme des gamins de cinq ans, nous ouvrions la bouche pour happer les papillons glacés qui fondaient aussitôt sur la langue. Puis nous regagnâmes nos lits.

Qu'il faisait bon, ainsi étendus, au chaud, tandis que, dehors, la neige se déposait lentement sur toute chose. La Guille prit un des livres qu'il avait emportés ; les autres, des journaux illustrés. Moi, je tirai de mon sac crayon et papier pour écrire à Mady, comme je le lui avais promis.

Chère Mady,
Ah ! si tu étais là ! Rien n'est plus beau que la neige...

Mais tout à coup, à l'étage au-dessus, j'aperçus la tête de Gnafron qui se penchait vers moi.

« Tidou !

— Quoi ?

— Toute cette neige qui tombe !... Je ne peux pas m'empêcher de penser à la gamine d'hier soir... Si elle était dehors, à cette heure ?

— Quelle idée, Gnafron ! Pourquoi serait-elle dehors ? Si elle se trouve encore à Morzine, elle a découvert un abri. Quelqu'un l'a recueillie.

— Bien sûr ! soupira Gnafron. Pourtant...

— Pourtant quoi ?

— Je ne sais pas. Si elle était partie à pied quand il faisait soleil, et que la neige l'ait surprise ?

— Partie où ? Elle ne manquait pas d'argent, puisqu'elle a refusé le nôtre. Si elle a quitté Morzine, elle a pris l'autocar ce matin.

— Bien sûr », soupira encore Gnafron.

Il rentra la tête et se recoucha. Je repris ma lettre interrompue pour décrire à Mady ce merveilleux village de neige, mais Gnafron avait coupé mon inspiration. Malgré moi, je voyais passer devant mes yeux le manteau vert de la fillette. Ma belle joie de tout à l'heure s'en trouvait gâchée. Cette petite fille paraissait si désemparée et inquiète, hier soir.

Qu'était-elle devenue ? Gnafron m'avait communiqué, sans le vouloir, une sorte d'anxiété. Repoussant papier et crayon, j'élevai la main vers lui.

« Gnafron ! tu te souviens ? Le maître nous a donné la permission de faire, chaque soir avant de souper, un tour dans le village. Morzine n'est pas grand. Si elle n'a pas quitté le village, nous aurons peut-être l'occasion de la rencontrer sur la place ou ailleurs. »

Mais j'avais parlé trop fort. Corget avait entendu. Il se dressa sur sa couchette.

« Que marmottez-vous, tous les deux ? De qui parlez-vous ? Qui voulez-vous rencontrer sur la place ?

— Une gamine qui se trouvait dans le car, avec nous, hier, et que nous avons aperçue à nouveau dans la soirée. On aurait dit qu'elle ne savait pas où aller. »

Tout de suite intéressés, les autres Compagnons se penchèrent. Gnafron raconta la scène de l'autocar.

« Et vous n'aviez rien dit ? lança Corget sur un ton de reproche.

— Passons nos anoraks, proposa Bistèque, et allons faire un tour dans le village. »

Dehors, il neigeait toujours. Cependant, Kafi ne se fit pas prier pour nous suivre. À grands coups de mâchoires, il avalait les flocons, comme des mouches. La place, au pied de l'église, était presque déserte. Personne sur le pont. Nous remontâmes la longue rue bordée de magasins, d'hôtels et de chalets. Les cafés regorgeaient de skieurs et de skieuses qui terminaient leur journée autour d'une tasse de thé. De temps à autre, passait une silhouette encapuchonnée, courbée en deux pour mieux se protéger de la neige. Tout à coup, Gnafron me poussa du coude. Il avait cru reconnaître, sur un trottoir, le manteau vert que nous cherchions. Il s'élança pour le rattraper. La fillette se retourna.

« Si tu crois me faire peur, méchant garçon ! » fit une petite voix flûtée.

Ce que, dans la nuit, Gnafron avait pris pour un manteau vert n'était que l'anorak bleu d'une jeune Morzinoise allant faire une commission, avec son panier.

D'hôtel en hôtel, de chalet en chalet, on atteignit le bout du village. La neige tombait toujours dru. Il était déjà tard. Nous rentrâmes en courant pour arriver au baraquement au moment ou M. Mouret, les mains en porte-voix, nous appelait pour nous inviter à descendre.

Le souper achevé, nous remontâmes vers notre domaine pour nous enfouir sous les couvertures, prêts à dormir. Cependant, au-dessus de moi, Gnafron n'avait pas sommeil. De temps à autre, il laissait échapper de profonds soupirs. Certainement, il pensait encore à cette petite inconnue. Cela se comprenait. Gnafron n'avait pas eu une enfance heureuse. Tout jeune, il avait perdu son père et une sœur qu'il aimait beaucoup. Certainement, cette fillette égarée dans Morzine lui rappelait de lointains souvenirs.

La Guille et le Tondu, les meilleurs ronfleurs de la bande, emplissaient depuis longtemps le chalet d'un bruit de moteur quand, enfin, Gnafron lui aussi s'endormit. Seul encore éveillé, j'écoutai le silence de la nuit, le grand silence de la neige qu'on n'entendait pas tomber mais que je devinais, tissant son épais rideau autour de nous. Comme Gnafron, je pensai avec angoisse : « Si elle était encore dehors ? »

Enfin mes membres et mon cerveau s'engourdirent doucement. J'étendis une dernière fois la main pour caresser Kafi et sombrai dans le sommeil.

Je dormais depuis je ne sais combien de temps quand quelqu'un tira mes couvertures. Je me dressai dans l'obscurité. Toute proche, une voix murmura :

« Tu n'as pas entendu, Tidou ? »

C'était la voix de Gnafron, une voix inquiète. Il était debout. Pourquoi s'était-il levé ? Devenait-il somnambule ?

« Entendu quoi ?

— Dehors, contre la porte. On aurait dit quelqu'un qui voulait entrer.

— En pleine nuit ? Avec cette neige qui tombe ? Si quelqu'un avait rôdé autour du chalet, Kafi aurait bougé.

— Justement, il a grondé. Je l'ai empêché d'aboyer. Je ne dormais plus. J'ai sauté à bas de mon lit pour le faire taire. Je suis sûr que quelqu'un tâtonnait contre la porte.

— Pourquoi n'as-tu pas ouvert ?

— Je n'ai pas voulu vous réveiller. J'ai eu peur que vous ne vous moquiez de moi. Je me suis dit qu'après tout c'était peut-être le vent qui poussait une branche contre la porte. Je me suis recouché. Mais à présent, je ne suis pas tranquille, je ne peux pas me rendormir.

— Voyons, Gnafron, si le père Papoz ou M. Mouret étaient venus, ils auraient appelé.

— C'est bien ce qui me paraît bizarre. Personne n'a appelé. C'était sûrement quelqu'un d'autre. »

Dans l'obscurité, je ne pouvais voir le regard de Gnafron, mais je devinai tout de suite à qui il pensait.

« Encore une fois, Gnafron, tu te fais des idées. Cette fille n'est certainement plus à Morzine. Pourquoi se promènerait-elle en pleine nuit dans la neige ? »

Gnafron ne répondit pas. Je me levai, me hissai sur la pointe des pieds pour allumer la lanterne.

Dérangés par la soudaine clarté, les autres Compagnons poussèrent un concert de grognements, s'agitèrent sous leurs couvertures et se dressèrent.

« Que se passe-t-il ? » demanda Corget.

J'expliquai ce que Gnafron venait de me raconter.

« Comment ! s'étonna le Tondu, quelqu'un aurait cherché à pénétrer chez nous ? Ça s'est passé quand ?

— Il y a une demi-heure, répondit Gnafron. Je suis sûr de n'avoir pas rêvé. La preuve, Kafi a grondé. »

Nous nous levâmes, en pyjama, pour entrebâiller la porte. Un flot d'air glacé nous scia les jambes. Sans se soucier de s'habiller plus chaudement, Corget décrocha la lanterne, descendit les cinq marches et promena la clarté vacillante sur la neige.

« C'est vrai, fit-il, Gnafron a raison ; voici des traces de pas qui ne sont pas les nôtres. Regardez ! quelqu'un a fait deux ou trois fois le tour du chalet. Personne d'entre nous ne s'est amusé à tourner autour du grenier cet après-midi. Ce sont les traces d'un étranger.

— C'est évident, approuva le Tondu, quelqu'un est passé par là depuis peu ; malheureusement, la neige a quand même eu le temps d'adoucir les empreintes. En tout cas, comme le dit Gnafron, l'inconnu a tourné autour du chalet pour en trouver l'entrée. »

On ne peut pas tenir longtemps sous la neige, en simple pyjama, à une heure du matin. Claquant des dents, Corget nous pressa de rentrer. Le Tondu raccrocha la lanterne au plafond et, à nouveau sous nos couvertures, nous cherchâmes une explication à cette visite nocturne. Pour plaisanter, Bistèque parla de revenants, mais personne n'avait envie de rire, surtout Gnafron, qui recommença à décrire les petits bruits entendus. Finalement, Corget déclara :

« Il faut en avoir le cœur net ! Cet inconnu n'est certainement pas tombé du ciel. On doit retrouver ses traces d'arrivée et de départ. N'attendons pas que la neige ait complètement effacé les marques. »

En un clin d'œil toute la bande fut équipée, grosses chaussures aux pieds, capuchons des anoraks relevés. Lanterne au poing, Corget ouvrit la marche.

« L'inconnu est arrivé de ce côté, constata la Guille. Regardez : la partie large des traces, qui correspond à la semelle, est tournée vers le chalet. Il n'avait pas un grand pied.

— Et il est reparti par ici, découvrit ensuite Corget, les trous des talons sont dirigés de ce côté-ci.

— Alors, suivons cette piste, conseilla Gnafron, nous saurons peut-être où l'inconnu est allé en s'éloignant du chalet. »

Les traces étaient faciles à suivre. Personne d'autre n'avait foulé la neige dans cette direction. À cause de petits sapins qui auraient gêné nos évolutions à skis, nous avions évité cette pente en bordure d'une forêt où personne ne devait s'aventurer en plein hiver.

Promenant sa lanterne au ras du sol, Corget avançait lentement. Nous le suivions en file indienne. Arrivé à la lisière de la forêt, il hésita à aller plus loin.

« Si, insista Gnafron, continuons ! »

Les empreintes se prolongeaient sous bois. Cependant, à partir de cet endroit, elles devenaient hésitantes, déviant tantôt à droite, tantôt à gauche, comme si l'inconnu n'avait pas su ce qu'il voulait faire.

Et tout à coup, juste devant moi, Kafi s'arrêta, les oreilles dressées. J'alertai Corget :

« Élève ta lanterne ! Kafi a vu ou entendu quelque chose ! »

Le champ lumineux s'agrandit autour de nous. Au même moment, le Tondu poussa un cri :

« Là !... Au pied d'un sapin ! »

Chapitre 4

La chambre vide

Il montrait une forme recroquevillée au pied de l'arbre.

« Le manteau vert ! s'écria Gnafron. C'est elle ! »

La fillette s'était pelotonnée pour se protéger des morsures du froid et de la neige. On distinguait à peine son visage, caché par le col relevé de son manteau. Dormait-elle ? Était-elle évanouie ?... Morte ?

Le Tondu et Corget la soulevèrent et la déposèrent un peu plus loin contre un rocher. Délicatement, Gnafron écarta les cheveux, sur le front de l'enfant. Il prit ses mains.

« Elles sont froides, mais pas gelées !

— Elle n'est qu'évanouie, dit le Tondu. Portons-la vite jusqu'à la ferme. »

Ce fut Gnafron qui, s'emparant de la lanterne, conduisit la caravane le long de la piste.

« Monsieur Papoz ! Ouvrez ! »

Personne ne répondit. Nous appelâmes tous ensemble :

« Vite ! ouvrez-nous ! »

Un rai de lumière filtra à travers les volets de bois. Une fenêtre s'ouvrit.

« Qu'y a-t-il ? Le feu ? »

Mais, presque aussitôt, nous reconnaissant dans le halo de la lanterne, le père Papoz s'écria :

« Ah ! c'est vous, mes garçons ! Que se passe-t-il ? Un de vos camarades est malade, au grenier ?

— Nous venons de trouver une enfant évanouie dans la neige. Ouvrez ! »

La fenêtre se referma. On entendit un bruit précipité de sabots, claquant sur le plancher, puis des voix. Le père Papoz et sa femme apparurent sur le seuil à demi vêtus seulement, encore coiffés de leur bonnet de nuit en coton blanc.

« Ciel ! s'écria la paysanne en apercevant le corps inerte, une petite fille ! Elle est comme morte ! »

On nous fit entrer dans la cuisine, une vaste pièce au plafond bas et enfumé, où les paysans dressaient leur lit, l'hiver, pour avoir plus chaud.

« François ! commanda la vieille Savoyarde à son mari, ranime le feu pendant que je prépare le lit dans la chambre du fils, puisqu'elle est inoccupée. »

Clopin-clopant, le père Papoz sortit et revint avec une brassée de bûches sèches qui ne demandaient qu'à flamber dans la cendre encore chaude.

Le Tondu et Corget s'approchèrent pour exposer l'enfant inanimée à la tiédeur des flammes. Pendant ce temps, la paysanne se hâtait de faire le lit dans la pièce voisine. Elle emplit d'eau chaude, puisée dans la grande marmite de la cheminée, une bouillotte de terre cuite qu'elle glissa entre les draps. Corget et le Tondu passèrent alors dans la chambre pour déposer leur fardeau sur le lit.

« Laissez-moi faire, à présent, dit la fermière, je vais la déshabiller, la frictionner et la coucher. Pauvre petite ! Perdue dans la neige par un temps pareil ! »

Nos camarades nous rejoignirent dans la cuisine.

« C'est ma faute ! soupirait Gnafron, j'aurais dû tout de suite ouvrir la porte, quand j'ai entendu du bruit. Elle va peut-être mourir à cause de moi. »

Je le rassurai de mon mieux. Comment pouvait-il se douter que c'était elle qui cherchait à entrer au grenier ? De toute façon, elle n'était guère restée plus d'une heure dans la forêt ; elle n'était pas en danger.

« Que diable faisait-elle dehors, en pleine nuit, sous cette bourrasque de neige ? s'interrogeait Bistèque.

— Elle a probablement quitté Morzine cet après-midi, quand le soleil brillait, supposa Corget. Elle a été surprise par la neige et la nuit qui sont arrivées en même temps, très vite.

— Sans doute, approuva le père Papoz ; mais où pouvait-elle aller de ce côté ?

— Il n'y a pas de chemin ?

— Seulement le raccourci d'un sentier qui mène vers la haute montagne, vers la frontière.

— La frontière... est-elle loin ?

— Ah ! mes petits gars. En été, une simple promenade à la portée de n'importe quel touriste, deux ou trois heures de marche, pas plus ; mais, en cette saison, personne n'aurait l'idée de passer par là pour aller en Suisse. »

Soudain, la porte de la chambre se rouvrit doucement.

« Vous pouvez entrer, dit la fermière. Elle n'a pas

encore repris connaissance, mais la chaleur du lit et de la bouillotte lui a déjà redonné quelques couleurs. »

Nous entrâmes sur la pointe des pieds. La fillette était couchée dans un lit de bois grossièrement taillé, les couvertures remontées sous le menton. Pour la première fois, on distinguait vraiment ses traits. Une des tresses de ses cheveux était dénouée. Les yeux clos, elle semblait dormir. Quand nous l'avions abordée, sur la place, nous ne lui avions pas donné plus de dix ans, à cause de sa petite taille ; elle était sans doute un peu plus âgée.

« Il faut appeler un médecin, dit Gnafron, effrayé par l'immobilité de la fillette.

— Ce n'est pas urgent, répondit le père Papoz. Que ferait-il de plus ? Elle ne porte aucune blessure, et ses membres ne sont pas gelés.

— Non, reprit la fermière. Regardez ses mains, elles sont toutes rouges à présent ; le sang recommence à circuler. »

Puis, se tournant vers son mari :

« Elle a seulement besoin de chaleur. Va donc chercher de quoi allumer du feu également dans cette pièce... Quant à nous, retournons dans la cuisine et laissons-la reposer paisiblement. Nous attendrons qu'elle s'éveille. »

Dans la cuisine, les bûches de bois sec lançaient à présent de hautes flammes qui léchaient les murs noircis de la vaste cheminée. Chacun trouva une place près de l'âtre. Alors, le père Papoz et sa femme nous firent raconter comment nous avions trouvé cette fillette.

« J'en suis à peu près convaincu, déclara le paysan, ce n'est pas une Morzinoise. Ici, tous les gens du pays se connaissent.

— Et ce n'est probablement pas non plus la fille de touristes venus passer des vacances de neige dans la région, ajouta la femme. Elle ne serait pas équipée de cette façon. Elle porterait des pantalons, des "fuseaux" comme disent les gens de la ville, de grosses chaussures et un anorak. Pour moi, cette petite fille n'est pas riche. Il n'y a qu'à voir l'étoffe de son manteau trop court et de sa robe. Quant à ses chaussures, n'en parlons pas. Si ce n'est pas malheureux de marcher dans la neige avec ça !

— Elle vient peut-être de Lyon, comme nous, expliqua Gnafron. Je suis presque certain qu'elle se trouvait dans le train qui nous a déposés à Thonon.

— Bah ! fit le père Papoz en hochant la tête, crois-tu ?... si loin de chez elle ? »

Mais, tout à coup, nous tendîmes l'oreille. Il nous avait semblé entendre un petit bruit de l'autre côté de la cloison. La paysanne entrebâilla doucement la porte, puis nous fit signe de nous approcher. La fillette s'était éveillée. Les yeux ouverts, mais le regard perdu dans le vague, elle ne semblait rien voir.

« Comment te sens-tu, ma petite ? » demanda la fermière en lui prenant la main.

Elle soupira et ne répondit pas.

« C'est encore trop tôt, dit le père Papoz, attendons ! »

En effet, les paupières de la fillette se refermèrent, comme si elle allait de nouveau s'endormir ; mais presque aussitôt, elle tressaillit, rouvrit les yeux et son regard, tout à l'heure absent, refléta une sorte d'angoisse.

« Billy, murmura-t-elle, où est Billy ?

— Billy ? demanda le père Papoz. Qui est Billy ? »

L'enfant ne répondit pas. On aurait même dit que cette question l'avait contrariée. Elle détourna la tête, sur l'oreiller.

« Laisse-la, dit la paysanne ; elle n'est pas encore en état de parler. Restons simplement près d'elle, sans la tracasser. »

Alors, nous attendîmes en silence. La fillette paraissait somnoler. Pourtant, à plusieurs reprises, ses lèvres remuèrent. On eût dit qu'elle murmurait un nom, toujours le même, celui qu'elle avait prononcé sans s'en rendre compte. Dans la chambre, que le feu de l'âtre emplissait à présent d'une douce chaleur, on n'entendait que le pétillement des bûches dont les flammes traçaient, au plafond, de grands dessins mouvants et lumineux.

Puis, brusquement, un long frémissement parcourut l'enfant. Elle dressa la tête, tenta de s'appuyer sur un coude et promena un regard affolé autour d'elle.

« Où suis-je ? demanda-t-elle, la voix rauque. Que m'est-il arrivé ?

— Ma pauvre enfant ! fit la paysanne, tu t'es perdue dans la neige, en pleine nuit. Ces garçons t'ont trouvée dans la forêt, au pied d'un sapin. Une chance ! Tu aurais pu mourir de froid. »

Elle serra ses deux bras, en croix, sur sa poitrine, comme si elle se sentait encore dans la neige glacée.

« Qui es-tu ? demanda alors le père Papoz. Peux-tu nous dire ton nom ? Que faisais-tu dehors, en pleine nuit ? »

La petite inconnue ne répondit pas. Avait-elle entendu ? Avait-elle peur de répondre ?

« Ton nom, reprit le Savoyard, simplement ton nom et l'endroit d'où tu viens ? »

Cette fois, la fillette détourna franchement la tête, tandis que deux larmes roulaient sur sa joue.

« Tu vois bien, François, répéta la fermière, nous la tracassons inutilement. Elle nous racontera tout plus tard, quand elle aura dormi suffisamment. »

Puis, se tournant vers nous :

« Il est très tard ; vous feriez mieux de rentrer vous coucher. Vous reviendrez la voir demain, quand elle sera remise de son émotion. »

À regret, nous regagnâmes le chalet. Dehors, la neige avait presque cessé, mais un petit vent glacial nous fit frissonner. Chacun se glissa en hâte sous ses couvertures ; cependant, après de telles émotions, comment retrouver le sommeil ?

« J'ai cru remarquer, me dit Gnafron, qu'elle nous regardait, toi et moi, avec plus d'insistance que les autres, comme si elle nous avait reconnus.

— En tout cas, déclara Corget, je ne suis pas de l'avis de Mme Papoz : la fillette n'était pas tout à fait inconsciente. Elle comprenait ce qu'on lui demandait. Elle n'a pas répondu aux questions parce qu'elle ne voulait pas répondre.

— Et que signifie ce nom : Billy, qui lui a échappé ? Demain, il faudra lui demander des précisions.

— C'est ça, demain, fit vivement le Tondu. Pour le moment, essayons de dormir. Vous avez vu vos montres ? Trois heures du matin ! »

Du haut de son troisième étage, sans même se

déplacer, il souffla la lanterne et notre wagon-lit reprit sa route pour son voyage au bout de la nuit.

Cependant, comme la veille au soir, Gnafron s'agita longtemps sous ses couvertures, avant de trouver un peu de calme. Au moment où je commençais à m'assoupir, il se pencha au-dessus de ma tête.

« Souviens-toi, Tidou, des dernières paroles de Mady, quand nous avons quitté Lyon : "Il ne vous arrivera rien puisque Kafi ne sera pas avec vous." Eh bien, justement, Kafi est là ! Je suis sûr que nous allons tout droit vers une nouvelle aventure. »

... Après une nuit très écourtée, nous dormions encore à poings fermés quand des coups frappés à la porte du chalet interrompirent notre sommeil.

« Eh bien, paresseux !... Encore couchés, quand tout le baraquement est debout ? »

C'était la voix de M. Mouret. Nous sautâmes à bas de nos couchettes, si vivement que le Tondu roula sur le dos de Corget.

« Vous dormiez donc encore ! s'étonna le maître. Savez-vous qu'il est plus de huit heures ? Vos camarades sont déjà installés devant leurs bols. »

Au ton de la voix, nous comprîmes que M. Mouret était fâché. Alors, Corget expliqua ce qui s'était passé pendant la nuit.

« Comment ? s'écria le maître. Une fillette perdue dans la neige ?

— Oui, m'sieur, poursuivit le Tondu, elle n'a pas plus de onze ans. Gnafron l'avait entendue gratter à la porte. Sans lui, elle serait peut-être morte de froid... Venez la voir ; on l'a transportée à la ferme. Mme Papoz l'a étendue dans un lit, au chaud. Elle est certainement éveillée à présent. »

Dehors, il ne neigeait plus. Le plafond des nuages s'était relevé à mi-hauteur des montagnes. Le père Papoz et sa femme étaient debout, depuis longtemps sans doute.

« Chut ! fit la paysanne, un doigt sur ses lèvres, elle dort encore. Tout à l'heure, j'ai entrebâillé la porte, elle ne bougeait pas. Pour avoir plus chaud, elle s'était complètement enfouie sous les couvertures et l'édredon. »

Intrigué lui aussi, M. Mouret se fit raconter en détail la scène du sauvetage.

« Oh ! monsieur l'instituteur, répétait la brave femme, si vous aviez vu cette pauvre petite ! Sur le coup, je l'ai crue morte.

— Et vous ne savez ni qui elle est ni d'où elle vient ?

— Elle n'est pas du pays, mais un de vos élèves, celui-ci, le petit, affirme qu'elle a voyagé avec vous dans le car, avant-hier. Il pense aussi qu'elle était dans votre train. »

M. Mouret se gratta la joue. Cette affaire, en effet, était bien étrange.

« Je serais curieux de la voir, dit-il ; vous êtes certaine qu'elle dort encore ?

— On aurait entendu du bruit ; elle aurait appelé ! »

Cependant, la vieille Savoyarde réfléchit.

« Après tout, il vaudrait peut-être mieux la réveiller, à présent ; je lui ferais boire quelque chose de chaud. »

Elle poussa la porte sans bruit, s'avança sur la pointe des pieds. Puis elle poussa un cri et revint en hâte à la cuisine.

« Mon Dieu ! Elle n'est plus là ! »

La chambre était vide. Affolée, la paysanne ouvrit l'armoire toute grande. Rien ! Et rien non plus dans le placard. D'ailleurs, les vêtements et les chaussures de la fillette, mis à sécher devant la cheminée, avaient disparu eux aussi.

« Ciel ! s'écria la fermière, par où a-t-elle pu s'échapper ?

— Par ici, fit Corget ! Regardez les battants de la fenêtre, ils sont simplement poussés et la crémone n'est pas tournée. Et on aperçoit des traces de pas sous la fenêtre... des pas qui s'éloignent en direction du village. »

Chapitre 5

Les Compagnons
ne sont pas d'accord

Ce matin-là, malgré une belle couche de neige toute fraîche et attirante, nous prîmes moins de plaisir que la veille à glisser sur nos skis. Le cœur n'y était pas.

« Eh bien, lançait M. Mouret, qu'avez-vous donc aujourd'hui ? Voulez-vous me recommencer cette descente en chasse-neige ? Et attention ! Virez correctement, à l'arrivée, devant le baraquement ! »

À midi, bien sûr, le copieux menu fut accueilli avec les mêmes cris d'enthousiasme ; cependant, à table, les plaisanteries ne fusaient pas comme d'habitude. Avant de quitter le réfectoire, M. Mouret, qui avait l'œil à tout, nous fit signe de le rejoindre.

« Voyons, mes garçons, vous ne paraissez pas en forme ! Est-ce à cause du sommeil qui vous a manqué cette nuit ?

— Oh ! non, soupira Gnafron, pas du sommeil. Nous nous sommes rattrapés, puisque nous étions encore au lit à huit heures.

— Vous vous tracassez toujours à cause de cette fillette ?

— Oui !

— Bien sûr, ce sauvetage, en pleine nuit, vous a donné des émotions. N'y pensez plus. Réjouissez-vous, au contraire, de penser que, sans vous, elle serait peut-être morte de froid dans la neige. Pour le reste, ce n'est plus notre affaire. Je suis passé à la gendarmerie raconter votre découverte. Si cette fillette erre encore dans Morzine, sans qu'on sache d'où elle vient, on l'aura vite retrouvée. »

Et d'ajouter en souriant :

« C'est bien d'avoir le cœur sensible... Tout de même, n'oubliez pas que vous êtes ici pour profiter de la neige ; trois semaines sont vite passées. »

D'une tape amicale sur l'épaule, il nous renvoya vers nos camarades qui s'ébrouaient dehors.

« Le maître a raison, approuva Bistèque, nous avons tort de nous faire du mauvais sang pour une gamine qui s'est sauvée sans tambour ni trompette, en oubliant de remercier Mme Papoz de l'avoir soignée. »

Pendant deux heures, on oublia l'incident pour jouir pleinement de cette belle neige merveilleusement glissante. Mais, après le goûter, quand le chalet nous accueillit de nouveau sous son toit blanc, la mine de Gnafron nous apprit tout de suite qu'il y avait du neuf.

« Qu'as-tu, demanda Corget, et où étais-tu tout à l'heure ? Tu es entré bon dernier au réfectoire. »

Gnafron sortit de la poche de son anorak une enveloppe froissée où l'encre de l'adresse était délavée.

« Où as-tu trouvé ça ?

— Après la leçon de ski, je suis remonté dans les sapins, à l'endroit où nous avons retrouvé la fillette. La lettre est probablement tombée de son manteau, quand le Tondu et Corget l'ont soulevée.

— Bah ! elle a pu être perdue par quelqu'un d'autre.

— Certainement pas. Personne n'est passé par là depuis la chute de neige de cette nuit.

— Alors, elle s'y trouvait déjà. Notre lanterne éclaire mal, nous ne l'avons pas vue.

— Dans ce cas, la neige l'aurait recouverte.

— Elle est décachetée, remarqua Bistèque ; c'est toi qui l'as ouverte ?

— Elle était ainsi. C'est une vieille lettre ; voyez le tampon de la poste : *Morzine 18 h — 16/12*. Elle a été postée à 18 heures, ici, le 16 décembre ; il y a donc un mois et demi.

— Tu l'as lue ?

— Oui !... Lisez vous aussi : vous verrez. »

Il tendit l'enveloppe à Corget qui en sortit une petite feuille de papier ordinaire. S'approchant de la lanterne, il déchiffra :

« Morzine, 12 décembre.

Chère petite sœur,

C'est la dernière lettre que tu recevras de moi avant longtemps. Je ne peux pas t'expliquer pourquoi, ce serait difficile, surtout par lettre. Quand je suis venu à Morzine, cet été, travailler au montage du téléférique, j'étais confiant. Je gagnais bien ma vie. Avec les économies que je ferais, nous pourrions réparer la petite maison de Vaugneray... et puis, un stupide accident est arrivé. Les travaux ont été arrêtés. Comme on allait les reprendre, c'est la neige qui est venue. J'ai dû changer de travail. Pardonne-moi de ne pas t'avoir parlé de tout cela dans mes lettres. Je voulais vous éviter des soucis, à grand-mère et à toi. C'est à cause de ce nouveau travail en Suisse que je pars. Ne t'inquiète pas, ma petite Jeannette, de ne plus rien recevoir de ton frère. Arrange-toi pour que grand-mère ne s'inquiète pas elle non plus. Chaque fois que quelqu'un demandera de mes nouvelles, réponds que tu ne sais rien de moi depuis longtemps, que je ne suis pas revenu à Lyon.

Chère petite sœur, je t'embrasse très fort, en grand frère qui pense souvent à toi. Malgré ce qui pourrait arriver, crois-moi, je suis resté un honnête garçon et le resterai toujours.

Donc, ma petite Jeannette, ne m'écris plus au Relais des Dranses, comme tu en avais l'habitude, tes lettres ne me parviendraient plus. Attends que je te donne de mes nouvelles. Sois toujours gentille avec grand-mère et travaille bien à l'école.

Ton grand BILLY. »

Quand Corget se tut, il y eut un long silence. Évidemment, cette lettre était tombée de la poche de la fillette, mais qu'en penser ? Tout était mystérieux. Pourquoi ce Billy ne pouvait-il plus écrire à sa sœur ? Pourquoi recommandait-il la prudence envers les gens qui pourraient demander de ses nouvelles ? Une chose paraissait certaine : l'affection qu'il portait à cette petite Jeannette et à sa grand-mère. Mais pourquoi seulement à leur grand-mère ?

« Et l'enveloppe, demanda la Guille, qu'y a-t-il dessus ? »

Gnafron, qui l'avait remise dans sa poche, la ressortit et lut tout haut :

« *Jeannette Nodier, 33, impasse Longuet, Lyon, V^e*.

— V^e arrondissement ! s'écria Bistèque. Le quartier de Fourvière, celui où j'habitais avant de monter à la Croix-Rousse !

— Cette impasse, tu la connais ?

— Pensez-vous ! Une impasse, c'est forcément un petit bout de rue de rien du tout. Je parie pourtant qu'elle se trouve près des quais de la Saône, pas très loin de la Croix-Rousse.

— En tout cas, soupira Gnafron, à présent, on comprend pourquoi cette petite fille est venue à Morzine. Elle espérait y rencontrer son frère, ou trouver quelqu'un qui lui en donnerait des nouvelles. Probable qu'elle n'a rien su de lui depuis le 16 décembre.

— Je le pensais moi aussi ; mais pourquoi être allée se perdre en pleine nuit, dans la neige, hors du village ?

— Si, expliqua le Tondu, ça se comprend. Souvenez-vous de ce qu'a dit cette nuit le père Papoz : le sentier qui passe derrière la ferme est un raccourci conduisant vers la chaîne frontière. Elle voulait peut-être rejoindre son frère.

— Alors, objecta la Guille, c'est que quelqu'un, dans Morzine, lui aurait donné l'adresse, en Suisse ?

— Pas forcément. Elle a appris, comme nous, à l'école, que la Suisse est un tout petit pays. Elle a pu s'imaginer qu'une fois là-bas, elle retrouverait sans peine son frère... comme elle a cru pouvoir atteindre le col.

— C'est possible », approuva Gnafron.

Et il ajouta :

« Si seulement on savait ce qu'elle est devenue ! Pour moi, ce matin, quand elle s'est échappée, elle est tout de suite repartie pour Lyon.

— Alors, dit vivement le Tondu, rien de plus simple, écrivons à Mady, donnons-lui l'adresse. Vous connaissez Mady, elle courra aussitôt impasse Longuet et nous serons vite fixés.

— C'est ça, écrivons tout de suite, s'écria Gnafron. La lettre partira ce soir, Mady l'aura demain. Avec un peu de chance, nous pouvons recevoir sa réponse après-demain. »

Et, se tournant vers moi :

« Fais la lettre, Tidou, tu connais Mady mieux que nous ; tu as l'habitude d'écrire... et tu fais moins de fautes que moi. »

Je m'installai sur ma couchette, les genoux remontés me servant de pupitre. Il me fallut quatre longues pages pour expliquer à notre camarade tout ce qui s'était passé depuis notre arrivée. Pour plus d'exactitude, je jugeai bon de joindre la lettre trouvée dans la neige.

À six heures, la lettre cachetée, timbrée, je courus avec Gnafron et Kafi la jeter à la boîte. Je n'eus même pas cette peine. Un facteur sortait de la poste, un gros sac de courrier à l'épaule. Il prit ma missive et l'emporta directement à l'autocar.

« À présent, proposa Gnafron, allons faire un tour dans le village. On ne sait jamais ; elle est peut-être encore à Morzine... et nous jetterons, en passant, un coup d'œil sur ce *Relais des Dranses*. »

Lentement, nous remontâmes la longue rue bordée de boutiques. Ce soir-là, les passants déambulaient plus nombreux, car le temps s'était radouci. Il ne neigeait plus. Le *Relais des Dranses* se trouvait tout au bout du village, un peu à l'écart, sur un chemin montant vers les sapins. C'était un petit café, d'aspect très modeste, qui contrastait avec les beaux hôtels de la station. Trois mots étaient peints en blanc sur les vitres : BAR — REPAS — CHAMBRES.

« C'est donc là que le frère de Jeannette prenait pension, dit Gnafron. Nous pourrions entrer.

— Ce n'est pas nécessaire, du moins aujourd'hui... et nous n'avons pas le temps, c'est l'heure du repas. »

En effet, à notre arrivée au baraquement, nos camarades étaient déjà au réfectoire. Par chance, M. Mouret ne s'aperçut pas de notre léger retard ; il venait de conduire chez le médecin un élève qui s'était foulé la cheville.

Le souper achevé, la bande des Compagnons remonta aussitôt au chalet. Alors Corget, qui, à table, n'avait desserré les dents que pour manger, déclara brutalement :

« J'ai bien réfléchi. Nous avons eu tort d'écrire à Mady. Après tout, cette histoire ne nous regarde plus. »

Surpris, Gnafron fronça les sourcils.

« Pourquoi ? Nous demandons simplement à Mady de se renseigner pour savoir si cette petite Jeannette est bien rentrée chez elle, rien de plus. »

Corget hocha la tête.

« Vous connaissez Mady ! Elle n'est pas fille pour rien. Elle voudra en savoir plus long.

— Quelle importance ? »

Un lourd silence emplit le chalet. De sa voix des mauvais jours, Corget reprit :

« Pour tout dire, je n'aimerais pas nous voir entraînés dans une sale histoire. La lettre de ce Billy ne me dit rien de bon. Je ne serais pas surpris qu'il ait trempé dans une affaire louche. Pourquoi ne dit-il rien de précis à sa sœur ? Pourquoi est-il passé en Suisse ? Et vous ne me ferez pas croire qu'il est trop occupé pour écrire... Ça se devine, cette lettre, il a été bien embarrassé pour l'écrire. Elle a été postée le 16 décembre, mais elle est datée du 12. Il l'a traînée quatre jours dans sa poche avant de se décider à l'expédier. Pour moi, il a fait un mauvais coup, et il s'est réfugié à l'étranger. D'ailleurs, quand on a la conscience tranquille, on n'éprouve pas le besoin de répéter qu'on est un honnête homme. »

Cette lettre n'était pas claire, en effet. Comment dissiper le malaise qu'elle nous avait causé ? La Guille, qui n'était pourtant pas porté à voir le mal partout, approuvait Corget. Ces mots couverts cachaient probablement des choses pas très propres.

« Possible ! rétorqua Gnafron, mais, pour le moment, il ne s'agit pas de ce garçon. Si, comme Tidou et moi, vous aviez vu le pauvre visage de sa sœur, l'autre soir, vous auriez eu pitié d'elle, et Mady, elle aussi, comprendra que cette petite est malheureuse. »

En disant cela, Gnafron avait haussé le ton. L'indifférence de Corget et de la Guille le consternait. Moi aussi j'étais peiné et je sentis que le Tondu partageait mon émotion.

« De toute façon, reprit Corget, nous devons parler de cette lettre à M. Mouret, puisqu'elle nous livre l'adresse de la gamine. Le maître reverra les gendarmes ; ils téléphoneront à Lyon. La police ira faire un tour impasse Longuet, et elle sera tout de suite renseignée.

— Non ! protesta farouchement Gnafron, pas ça !

— Pourquoi ?

— Si Jeannette est rentrée, je ne veux pas que les agents aillent frapper à sa porte. Elle serait effrayée.

— Et si elle n'est pas rentrée ?

— C'est sa grand-mère qui s'affolera. Si elle apprend qu'on a retrouvé sa petite-fille évanouie dans la neige et qu'elle a ensuite disparu de la maison qui l'avait recueillie, elle se rongera d'inquiétude.

— Tu crois qu'elle n'est pas inquiète en ce moment ?

— Je vous le répète, je suis sûr que Jeannette est rentrée. »

Une violente discussion s'engagea. Devions-nous mettre M. Mouret au courant, prévenir la gendarmerie de notre trouvaille ? Pour la première fois, la bande des Compagnons de la Croix-Rousse se trouvait divisée en deux camps aussi butés l'un que l'autre. Impossible de se mettre d'accord. Jamais je n'avais vu Gnafron dans un pareil état. Terriblement excité, il traitait Corget, la Guille et Bistèque de lâches et de sans-cœur.

« Parfaitement, clamait-il, vous êtes tous les trois des sans-cœur et des peureux. Vous ne pensez qu'à vous amuser dans la neige et vous trouvez commode de dire que le frère de cette petite est un bandit pour ne plus vous soucier d'elle... Voulez-vous que je vous dise ? Au fond, vous êtes vexés parce que, ce matin, elle s'est enfuie sans vous remercier de l'avoir sauvée de la neige. »

Heureusement, le paisible la Guille, ennuyé de voir les Compagnons se disputer, finit par trouver un terrain d'entente.

« Cessons de nous quereller, dit-il, voici ce que je propose : de toute façon, ce n'est pas l'adresse de la grand-mère qui fera retrouver plus vite cette Jeannette. Par conséquent, avant de parler, nous pourrions attendre la réponse de Mady. En deux jours, il peut se passer beaucoup de choses. Décidons que, si le courrier n'apporte rien après-demain, alors nous dirons tout à M. Mouret.

— D'accord ! s'écria Gnafron. Mais je suis sûr qu'après-demain, Mady aura écrit. »

Chapitre 6

La réponse de Mady

La veille, malgré le beau temps, malgré nos jeux fous dans la neige, nous n'avions cessé de penser à la lettre, les uns souhaitant ardemment qu'elle arrive vite, les autres espérant secrètement que Mady n'aurait pas pu courir impasse Longuet.

Car, malgré l'intervention de la Guille, les Compagnons étaient restés divisés en deux camps hostiles. Hier soir encore, nous nous étions endormis sans échanger un mot.

Enfin, ce matin, nous serions fixés. En classe, M. Mouret avait donné un exercice de grammaire sur l'accord des participes. À côté de moi, Corget faisait semblant de se passionner pour ce devoir, mais je le sentais nerveux. À la dérobée, il jetait des coups d'œil sur sa montre. Le facteur allait bientôt passer. D'ordinaire, il arrivait vers neuf heures et demie, frappait deux petits coups à la porte du fond et déposait le courrier sur une table inoccupée où M. Mouret allait le prendre, à l'heure de la récréation, pour nous le distribuer aussitôt.

Jamais le temps ne m'avait paru aussi long que ce matin-là. Enfin, je reconnus le pas du facteur, dehors. Toutes les têtes se retournèrent. Le préposé entra, salua le maître d'un geste, déposa une dizaine de lettres, un journal, referma sa sacoche et repartit. La lettre de Mady était-elle là, dans ce petit tas d'enveloppes ? Oh ! que l'attente était cruelle ! Gnafron ne cessait de se retourner à s'en dévisser le cou pour essayer de reconnaître l'envoi de Mady.

Enfin la récréation ! Le maître commença l'appel des noms :

« Poutreau ! Cornet ! Madinier !... »

Le petit tas d'enveloppes s'amincissait. Plus que trois, deux, une ! C'était fini. Mady n'avait pas écrit. Consterné, je regardai le Tondu et Gnafron, tandis que nos camarades, à l'écart, souriaient sous cape.

Nous nous retrouvâmes tous dans la cour, ou plutôt dans le champ de neige qui entourait le baraquement.

« Vous voyez, dit Corget, c'était à prévoir, le courrier n'a rien apporté. Allons parler à M. Mouret.

— Non ! supplia Gnafron, pas encore. Nous aurons la lettre demain, certainement. Je vous répète que Jeannette est rentrée chez elle. Si elle n'était pas revenue à Lyon, les journaux en parleraient. Tenez, M. Mouret est en train de déplier le sien, qu'il vient de recevoir. Attendez, nous saurons tout de suite s'il découvre quelque chose ! »

Mais Corget s'était buté. Entraînant Bistèque, il s'avança vers le maître. Il n'en était plus qu'à quelques pas quand, tout à coup, on vit le facteur réapparaître sur la piste tracée au milieu du champ de neige. Il brandissait une enveloppe au bout des doigts.

« Monsieur l'instituteur ! Une lettre taxée, à cause du poids ! Je l'avais mise de côté et je l'ai oubliée. Excusez-moi. »

Il tendit l'enveloppe à M. Mouret, qui déchiffra l'adresse et jeta un coup d'œil circulaire pour découvrir son destinataire. Son regard croisa le mien ; il me fit signe.

« Une lettre pour toi, Tidou, une lettre insuffisamment affranchie. Tu dois quelque chose au facteur. »

Et d'ajouter en riant :

« Voilà ce qu'il en coûte d'avoir des correspondants étourdis... ou trop bavards ! »

Je sortis vivement mon porte-monnaie, payai la surtaxe et courus rejoindre mes camarades. La lettre venait de Lyon. C'était l'écriture de Mady.

« Je savais qu'elle arriverait ! » explosa Gnafron, fou de joie.

Malheureusement, la récréation était terminée. M. Mouret siffla la rentrée, et je dus fourrer l'enveloppe dans ma poche avant d'avoir eu le temps de l'ouvrir. Pendant une heure, ce fut un véritable supplice. Le pauvre Gnafron, de loin, me lançait de longs regards interrogateurs, comme si je connaissais son contenu. Hélas ! en écoutant la leçon de géographie sur les affluents de la Garonne, je ne pouvais, secrètement, que tâter l'enveloppe dans ma poche. Son épaisseur me rassurait. La lettre devait être longue, très longue. Mady avait donc vu la petite Jeannette et elle nous donnait tous les détails.

D'ordinaire, à la sortie nous ne disposions que de quelques minutes avant de passer à table. Par chance, ce matin-là, la cuisinière avait eu des ennuis avec son fourneau. Le repas ne serait pas prêt à temps.

« Remontons au chalet, s'écria le Tondu, nous serons plus tranquilles pour lire la lettre ! »

Nous nous assîmes côte à côte, sur les couchettes du bas, et je décachetai l'enveloppe. Elle renfermait cinq pages de cahier, cinq pages couvertes d'une écriture en pattes de mouche, tant Mady s'était hâtée.

« Lis tout haut... et vite ! » me pressa Gnafron.

« Chers Compagnons,

J'avais déjà eu, hier, une lettre de Tidou. En recevant celle-ci, j'ai compris qu'il était arrivé quelque chose. Par chance, je l'ai trouvée, dans la boîte, sitôt après le passage du facteur car, aujourd'hui, je ne vais pas en classe. Une fuite de radiateur a inondé l'école.

J'ai tout de suite couru impasse Longuet. À l'aide d'un plan de Lyon, je l'ai trouvée, derrière les quais de la Saône, près de l'église Saint-Jean.

Je n'ai pas osé frapper au numéro 3. J'ai demandé à une dame qui balayait le trottoir, devant sa porte, si elle connaissait Jeannette Nodier.

"La petite Jeannette ! a-t-elle répondu, bien sûr, elle passe souvent devant mes fenêtres, une gentille petite, qui fait parfois mes commissions quand je suis grippée. Tu la cherches ?"

Embarrassée, je lui ai simplement demandé si Jeannette était chez elle en ce moment.

"Justement, a répliqué la dame, je me suis demandé ce qui lui était arrivé. Je ne l'ai plus vue

pendant deux ou trois jours. La croyant malade, je suis montée demander des nouvelles à sa grand-mère qui est presque aveugle. Elle m'a dit que sa petite-fille était souffrante, mais ne m'a pas laissée entrer, comme d'habitude. On aurait même dit que ma visite la gênait.

— Et vous ne l'avez pas revue, depuis ?

— Si, ce matin elle est retournée à l'école, mais en passant devant la fenêtre, il m'a semblé qu'elle tournait la tête, comme si elle n'avait pas envie de me parler.

— Vous êtes sûre que c'était elle ?

— Absolument sûre. Avec son petit manteau vert trop court, son béret, son teint pâlot, on ne peut pas se tromper... Pourquoi me demandes-tu cela ?"

J'ai bredouillé que je la connaissais un peu et, comme j'avais appris ce que je voulais savoir, je suis partie. Il était onze heures et demie. Pas très loin de là, je me suis trouvée devant le portail d'une école au moment de la sortie. Et, tout à coup, j'ai aperçu le manteau vert pomme. Jeannette revenait chez elle, toute seule, l'air triste. J'ai failli courir vers elle. Je n'ai pas osé. Alors, je suis remontée vers la Croix-Rousse. Papa venait de rentrer de son travail. Avec maman, il commençait à se demander où j'avais pu aller. J'étais encore si troublée que j'ai tout raconté.

"Mon Dieu ! s'est exclamée maman, une petite fille de onze ans, toute seule, en Savoie, perdue dans la neige ? C'est invraisemblable !"

Alors, j'ai montré ta lettre, Tidou... et l'autre. Papa a froncé les sourcils. Il a déclaré que tout cela n'était pas clair et que je ferais bien de ne pas *me mêler de ce qui ne me regarde pas. Mais maman, comme moi, a eu pitié de Jeannette.*

"Évidemment, ce qui se passe dans cette famille, a-t-elle dit, ne doit pas nous intéresser. Pourtant, à son âge, cette fillette n'est pas responsable. J'imagine qu'elle s'inquiète pour cette lettre perdue. Ne pourrais-tu pas, Mady, la lui rapporter cet après-midi, puisque tu ne vas pas en classe ?"

Vous pensez si j'ai bondi sur l'occasion. Je suis donc retournée sur les quais de la Saône. Quand j'ai aperçu la petite Jeannette, sortant de l'école, je me suis approchée. Elle a sursauté et m'a regardée d'un air inquiet. J'ai dit que je voulais lui parler.

"Me parler ? Je ne te connais pas ; laisse-moi !"

Elle s'est sauvée. Je l'ai rattrapée. Elle m'a repoussée.

"Laisse-moi !"

Alors, j'ai sorti la lettre de ma poche. En reconnaissant l'enveloppe, elle est devenue toute pâle.

"Où as-tu trouvé cette lettre ?... Rends-la-moi !"

Je la lui ai tendue, sans rien dire. Elle l'a mise dans son cartable et est partie en courant mais, vingt pas plus loin, elle s'est arrêtée, puis est revenue vers moi me demander où je l'avais trouvée.

Il faisait très froid sur le quai, je l'ai entraînée sous un porche, et j'ai tout raconté. Quand je me suis tue, des larmes brillaient dans ses yeux.

Je lui ai souri.

"Tu sais, Jeannette, ni mes camarades, en Savoie, ni moi ne parlerons de cette lettre. Ils me l'ont seulement envoyée parce qu'ils se demandaient ce que tu étais devenue. Nous sommes tes amis."

Elle a souri à son tour, pour me remercier, et s'est éloignée, mais elle est encore revenue et a murmuré en rougissant :

"Tu es gentille... Voudrais-tu venir chez moi, voir ma grand-mère ?"

Elle m'a emmenée impasse Longuet. Elle habite au troisième étage d'une vieille maison sombre. Sa grand-mère, presque aveugle en effet, a d'abord paru très mécontente que Jeannette lui amène quelqu'un, mais quand elle a su pourquoi j'étais là, elle s'est montrée très émue.

Alors, toutes les deux ont parlé. La grand-mère savait que sa petite-fille était allée à Morzine. Jeannette l'avait tant suppliée que, sans se rendre compte des difficultés et des dangers, elle l'avait laissée partir.

Quand j'ai demandé si elles avaient eu d'autres nouvelles de Billy, depuis cette lettre, elles ont baissé la tête. Jeannette s'est raidie. Elle a dit vivement :

"Billy n'a rien fait de mal. Je suis sûre qu'il reviendra bientôt. Ce qu'on m'a dit là-bas était un mensonge."

Elle m'a alors expliqué qu'en arrivant à Morzine, elle était allée au Relais des Dranses, *où Billy prenait pension. Embarrassée, la patronne avait répondu que Billy Nodier ne travaillait plus en Savoie depuis longtemps. Comme Jeannette insistait en pleurant, l'aubergiste avait fini par laisser entendre que, dans le pays, Billy était soupçonné d'un vol et qu'il s'était enfui.*

"Non ! Ce n'est pas possible ! s'est écriée la grand-mère. Billy n'aurait pas fait une chose pareille. Je le connais, mon grand Billy. C'est moi qui l'ai élevé, avec Jeannette, quand leurs parents

sont morts. Ils sont tous deux d'honnêtes enfants. Billy a toujours été sérieux et travailleur. Il nous aime beaucoup... La preuve, c'est pour nous qu'il est parti travailler si loin afin de gagner davantage. Il voulait faire des économies pour réparer notre petite maison de Vaugneray, dans la banlieue. Je ne vois plus assez pour sortir dans Lyon ; il disait que là-bas je pourrais prendre l'air dans le jardin. Tu vois, c'est un bon garçon !"

Presque à tâtons, elle s'est dirigée vers la cheminée, a pris une photo, dans un petit cadre doré, et me l'a tendue.

"Regarde mon petit-fils ! A-t-il un visage de mauvais garçon ?"

J'ai été frappée par sa ressemblance avec Jeannette, mêmes traits, mêmes cheveux sombres. Il a vingt-deux ans et paraît très sympathique.

Toutes deux sont très inquiètes parce que, la semaine dernière, elles ont eu la visite d'un inconnu, un homme qui portait de grosses lunettes noires et qui se disait représentant de commerce en appareils photographiques. Il a beaucoup insisté pour voir Billy, assurant que, quelques mois plus tôt, Billy l'avait chargé de lui trouver un certain appareil, et que, justement, il pouvait le lui procurer à bon compte. Jeannette a été étonnée. Son frère aimait la photographie, mais ne possédait qu'un petit appareil bon marché et n'avait jamais eu l'intention de l'échanger. Elle a pensé que cet homme était un faux marchand, qu'il voulait seulement savoir où était Billy.

Quand je suis partie, la grand-mère m'a suppliée de ne jamais parler de ce qu'elle m'avait dit, mais, en me reconduisant au bas de l'escalier, Jeannette m'a glissé :

"Quand tu écriras à tes camarades, en Savoie, demande-leur pardon pour moi de m'être sauvée. Tu comprends, quand je me suis réveillée dans cette chambre, je me suis sentie perdue. J'aurais dû avouer que j'avais essayé de passer en Suisse. On m'aurait demandé pourquoi. On m'aurait peut-être remise aux gendarmes, j'aurais été obligée de parler de Billy. Alors, je suis vite redescendue au village et j'ai pris le premier autocar qui partait pour Thonon."

Mais elle a ajouté, après une hésitation :

"Tu pourrais peut-être quand même leur demander d'essayer de savoir où est mon frère. Nous sommes si malheureuses, grand-mère et moi !"

Elle s'est mise à pleurer sur mon épaule ; je l'ai embrassée et je suis partie pour avoir le temps de vous écrire. Il est sept heures. Je cours porter ma lettre à la boîte, avant la dernière levée du soir. J'espère que vous l'aurez demain. Oh ! si nous pouvions aider cette petite Jeannette !

Votre MADY. »

J'avais lu cette longue lettre d'un seul trait et personne n'avait soufflé mot. Quand je relevai la tête, mes camarades demeurèrent longtemps immobiles, visiblement bouleversés. Il y eut un silence puis, tout à coup, Corget se leva, tendit la main à Gnafron et dit, la voix tremblante d'émotion :

« Tu avais raison, Gnafron, il valait mieux garder

le secret de cette petite Jeannette. Ainsi, nous pourrons peut-être plus facilement l'aider. »

C'en était fini de notre brouille. La bande des Compagnons de la Croix-Rousse était redevenue unie comme avant. Oui, cette fois, nous étions tous d'accord. Il fallait aider la fillette au manteau vert pomme à retrouver son frère.

Chapitre 7

La bague en or

Plus d'une semaine déjà que nous étions à Morzine ! Les jours filaient comme une flèche. L'état idéal de la neige, le beau temps presque continu nous permettaient un apprentissage sérieux du ski. Nous n'étions plus des débutants, loin de là ! À présent, la petite côte entre le chalet et le baraquement ne nous suffisait plus. Chaque après-midi, le maître nous conduisait de l'autre côté de la vallée sur une vraie piste dont on atteignait le sommet par un remonte-pente. Ah ! les remonte-pentes ! quelle merveilleuse invention !

Plusieurs d'entre nous étaient même devenus très forts, la Guille en particulier, qui se risquait à faire du « slalom » dans le sillage du maître. Seul Gnafron manquait encore d'assurance. Il se tenait sur ses planches comme la Guille sur son vélo. Chaque fois qu'il voulait éviter un obstacle, il fonçait irrésistiblement dessus et culbutait, mais il en aurait fallu davantage pour le décourager.

Cependant, malgré ces joies sans cesse renouvelées, nous étions toujours hantés par le mystère qui entourait la disparition de Billy. Depuis la lettre de Mady qui nous avait tant bouleversés, nous ne pensions plus qu'à cette petite Jeannette. Elle nous était devenue sympathique ; nous aurions fait n'importe quoi pour l'aider à retrouver son frère.

Mais justement, que pouvions-nous pour elle ?

« Évidemment, dit un jour Bistèque, nous ne connaissons personne à Morzine, et si par hasard nous retrouvions des ouvriers qui ont travaillé au même chantier que Billy, ils ne sauraient rien... ou ne voudraient rien dire.

— En tout cas, dit le Tondu, il est difficile de se faire une idée sur ce qui aurait obligé Billy à passer en Suisse. Une chose m'étonne. Si on le soupçonnait d'avoir fait quelque chose de mal, la police le rechercherait. Elle aurait fait une enquête, impasse Longuet. Or, l'unique visite que Jeannette et sa grand-mère aient reçue est celle du représentant de commerce à l'allure louche.

— Oui, approuva Corget, le seul détail important est la visite de cet inconnu. Dommage que Mady ne nous en ait pas dit davantage. »

Je répondis aussitôt :

« Je vais lui écrire à nouveau. Elle retournera chez Jeannette, nous aurons des précisions. »

Le soir même, une missive partit donc pour Lyon. La réponse arriva le surlendemain. Au reçu de ma lettre, Mady s'était précipitée chez Jeannette. D'après la fillette, l'homme qui avait frappé à sa porte était grand et fort. Il avait le teint fortement bronzé, cuivré plutôt, qui faisait penser à un Espagnol, mais il parlait français sans accent étranger. Il portait (comme nous le savions déjà) d'épaisses lunettes noires et une petite moustache brune à la Charlot. Mais Jeannette avait surtout remarqué une énorme bague en or, à son petit doigt gauche, une bague si volumineuse que la fillette avait distingué l'initiale gravée sur le chaton : la lettre M ou N.

Ces indications pouvaient suffire pour reconnaître l'homme, mais, vraisemblablement, il habitait Lyon ou la région de Lyon. Nous n'avions aucune chance de l'apercevoir à Morzine. D'ailleurs, Jeannette pouvait se tromper. Pourquoi cet homme ne serait-il pas, comme il l'affirmait, un simple représentant de commerce ? Billy aimait la photographie mais n'avait peut-être pas mis sa sœur au courant. Il pouvait très bien être à la recherche d'un nouvel appareil.

Cependant, à partir de ce jour-là, instinctivement, chaque fois que nous descendions dans le village, nous dévisagions tous les passants. Hélas ! dans une station de sports d'hiver, les porteurs de lunettes noires ne manquent pas... et comment découvrir une bague sous les moufles ou les gants qui protégeaient les mains des morsures du froid ? Quant aux moustaches à la Charlot, je n'en découvris que sous le nez d'un vieux monsieur qui traînait la luge de ses petits-enfants.

« Si nous retournions rôder autour du *Relais des Dranses* ? » me proposa le Tondu, un soir, à l'heure de la promenade libre.

C'était un samedi. La grande rue grouillait de monde, les magasins regorgeaient de clients. Le temps était d'ailleurs très doux. On se serait presque cru au printemps. Derrière les vitres embuées du *Relais des Dranses* se découpaient les silhouettes de consommateurs attablés.

« Entrons », dit le Tondu.

J'hésitai un peu, à cause de M. Mouret.

« Le maître ne serait pas content s'il nous savait ici.

— Bien sûr, fit le Tondu, mais ce n'est pas pour nous amuser. »

Je le suivis. Presque toutes les tables étaient occupées par des ouvriers ou employés d'hôtel qui venaient là passer un moment, après leur travail ou leur service. On s'installa au fond et je commandai deux jus de fruits.

De notre coin, nous pouvions observer toute la salle, envahie par la fumée des cigarettes. Les consommateurs discutaient bruyamment. Ils parlaient de leur travail, de la saison qui était bonne à cause de la neige abondante. La patronne était fort occupée à faire le service. Je dis au Tondu :

« Ce n'est pas le moment d'aller la trouver. »

Cependant, nous restâmes longtemps à regarder les allées et venues des clients, comme si nous attendions quelqu'un. Je venais de faire remarquer au Tondu qu'il était bientôt l'heure de rentrer, quand, à une table proche de la nôtre, des gens du pays se mirent à parler du nouveau téléférique dont la construction avait été arrêtée à la suite de la rupture d'un câble. Et tout à coup, je crus entendre prononcer un nom. Billy. Je poussai le Tondu du coude.

« Oui, disait un gars d'une vingtaine d'années, je me souviens de lui. Nous travaillions ensemble sur le chantier. Ce n'était pas un garçon très bavard. Ses jours de repos, il les passait à arpenter la montagne pour prendre des photos... de belles photos, vous pouvez m'en croire. Qui aurait pensé ça de lui ? Sur le coup, je ne l'ai pas cru mais, puisqu'il a disparu...

— Bah ! fit un autre, qui avait l'air d'un employé d'hôtel, Billy a peut-être trouvé du travail ailleurs qu'à Morzine.

— Du travail ? Il en avait trouvé. Il s'y connaissait dans le développement des pellicules ; le patron de Photo-Flash l'avait embauché pour la saison. C'est même là que j'ai appris ce qu'il avait fait.

— Et qu'a-t-il fait, au juste ?

— Au juste, je n'en sais rien, mais il paraît qu'un beau matin, on a retrouvé vide le tiroir-caisse... et Billy s'était envolé sans laisser d'adresse. Concluez ce que vous voudrez. »

Là-dessus, les consommateurs trinquèrent, se levèrent et sortirent. Je regardai Corget. Il était consterné comme moi. Ainsi, ce que la patronne du *Relais des Dranses* avait dit à Jeannette, à mots couverts, était vrai. Tout le monde, dans le pays, considérait Billy comme un malfaiteur.

Nous sortîmes à notre tour pour rentrer en courant au baraquement, car il était tard. De retour au chalet, après le souper, le Tondu rapporta à nos camarades la conversation entendue au *Relais des Dranses*. Leur réaction fut semblable à la nôtre. Cette fois, l'accusation portée contre Billy était précise : il avait volé de l'argent ! Devions-nous, dans notre prochaine lettre, annoncer cette pénible nouvelle à Mady pour la transmettre à Jeannette ?

« Non ! trancha Gnafron, ce serait terrible pour Jeannette. Nous ne pouvons pas faire ça tant que nous n'en sommes pas sûrs.

— D'ailleurs, remarqua le Tondu, si le marchand de Photo-Flash a réellement trouvé, un matin, son

tiroir-caisse vide et s'il soupçonne Billy, il a probablement porté plainte... et s'il a porté plainte, la
police a fait une enquête ; elle s'est renseignée au
Relais des Dranses où il logeait. La patronne de
l'auberge a donné son adresse à Lyon. Par conséquent, comme je le disais, la police serait allée
impasse Longuet. Or, Jeannette et la grand-mère
n'ont rien vu... que le représentant en appareils photographiques.

— Alors ? interrogea Bistèque.

— Ou bien le photographe n'a pas été volé, ou
bien il n'a pas porté plainte.

— Et pourquoi n'aurait-il pas porté plainte ?
s'étonna la Guille.

— Le vol n'était peut-être pas important. Si le
marchand est un brave type, il n'a pas voulu que
Billy ait des ennuis. Il l'a simplement prié de s'en
aller. »

Sur le coup, cette explication nous soulagea un
peu. Cependant, Gnafron réfléchit :

« Votre raisonnement ne tient pas debout. Si le
marchand avait voulu protéger son employé, il
n'aurait pas laissé courir le bruit d'un vol dans
sa boutique, et, surtout, Billy ne serait pas passé
de l'autre côté de la frontière, sachant qu'on ne
le tracasserait pas. Croyez-moi, il est passé en
Suisse parce qu'il avait peur, et même grand-
peur. »

Ainsi cette discussion n'éclairait rien, au
contraire.

Ce soir-là, avant de m'endormir, je pensai
longtemps à la petite Jeannette. Si son frère était
coupable, c'était affreux. Pendant mon sommeil,
toutes sortes de cauchemars vinrent me hanter. Je

voyais des mains, des mains avides plonger dans des tiroirs, en retirer des liasses de billets. Ces mains, je voulais les retenir et je n'y parvenais pas.

Le lendemain, la proposition de Gnafron de se renseigner à Photo-Flash fut accueillie comme le seul moyen d'éclaircir cette affaire. Bien entendu, on entrerait dans la boutique sous un prétexte quelconque, histoire de voir les lieux et la tête du marchand. On attendit avec impatience l'heure à laquelle, chaque soir, M. Mouret nous laissait libres, après le ski. Je n'avais pas envie d'emmener Kafi, mais Gnafron, qui a un faible pour lui, insista :

« Bah ! laisse-le nous suivre ; il aime la neige comme nous à présent. »

Un peu à l'écart de la grande rue, Photo-Flash était une petite boutique en bois, en forme de chalet, comme beaucoup de magasins à Morzine. L'enseigne, toute neuve, représentait le Roc d'Enfer, un des plus beaux sommets de la région, se détachant en blanc sur un fond d'azur. D'un côté de la vitrine, étaient disposés des appareils photographiques et des caméras, de l'autre de petits objets-souvenirs : chalets miniatures, poupées savoyardes, clarines de vaches. Je dis à Gnafron :

« Ça tombe bien ; avant de repartir, je voulais justement acheter quelque chose pour mon petit frère Geo. »

Nous entrons donc, avec Kafi, qui aime toujours fourrer son nez partout. Au tintement des grelots, ébranlés par la porte, la marchande apparaît, soulevant le rideau qui sépare le magasin de l'arrière-boutique. C'est une femme élégante qui porte de nombreux bijoux. Elle est aussi très parfumée. D'un ton aimable, elle demande ce que nous désirons. Je montre les chalets peints, sur une étagère. La marchande m'en indique le prix. Ils sont beaucoup trop chers pour ma bourse.

« Qu'à cela ne tienne, dit la marchande, j'en ai d'autres, plus petits, meilleur marché. »

Pour atteindre un rayonnage, elle grimpe sur un escabeau mais, à ce moment, se produit un incident. Dans un fracas épouvantable d'aboiements, Kafi vient de bondir en direction d'un petit chat gris qu'il a découvert, dormant sur un coussin. Kafi n'est pas l'ennemi des chats ; il ne leur fait aucun mal, mais il aime les taquiner, à sa façon, en aboyant férocement et en faisant semblant de leur donner la chasse.

Surprise, ne comprenant pas ce qui vient d'arriver, la marchande pousse un cri et, dans sa hâte à descendre de l'escabeau, heurte une étagère qui bascule. Une boîte en carton glisse, tombe sur le plancher et, dans le choc, perd son couvercle. Stupeur ! elle ne contient pas un appareil photographique, comme l'indiquait l'étiquette, mais... deux revolvers.

La marchande se précipite pour les ramasser et les range vivement dans la boîte, sans se préoccuper des autres petits bibelots également tombés.

Est-ce à cause de la frayeur causée par Kafi, de la chute de cette boîte ? Elle est devenue toute rouge, puis très pâle.

« Ce n'est rien, dit-elle vivement, des revolvers à bouchon, pour les enfants... ils ne sont pas abîmés...

je... je me demande comment ils se trouvaient dans cette boîte. »

Puis, reprenant son assurance, elle replace la boîte sur l'étagère, tandis que je m'excuse pour Kafi qui, tout penaud, s'est réfugié dans mes jambes. La marchande me présente alors des modèles de petits chalets peints, mais, à plusieurs reprises, elle ne peut s'empêcher de jeter un coup d'œil sur l'étagère comme si celle-ci risquait de basculer à nouveau.

Les petits chalets présentés sont encore très chers. Cependant, après cet incident, je ne peux partir sans rien acheter. J'en choisis un, et nous sortons du magasin avec Kafi.

Sans échanger un mot, nous rejoignons la grande rue. Alors, Gnafron se tourne vers moi.

« Qu'en penses-tu, Tidou ? Crois-tu réellement que ces revolvers étaient des jouets ? »

J'avais la bouche ouverte pour lui poser la même question.

« Non, Gnafron, c'étaient sûrement de vrais revolvers. En tombant, ils ont fait un bruit lourd, et j'ai eu le temps de voir leur canon ; il n'était pas assez gros pour des pistolets à bouchon.

— C'est vrai, et tu as remarqué avec quelle rapidité la marchande les a remis dans la boîte ? Elle n'a même pas ramassé la petite poupée qui était tombée à côté. »

Nous remontons en courant au chalet raconter l'incident.

« Curieux, en effet, remarque Bistèque. Presque tous les commerçants cachent une arme, dans leur boutique, au cas où ils seraient attaqués, mais pas deux. Vous êtes sûrs que ce n'étaient pas des jouets ?

— La marchande n'aurait pas eu cet air affolé ; elle ne nous aurait pas donné une explication qu'on ne lui demandait pas.

— Alors, conclut la Guille, peut-être que ce magasin vend aussi des armes.

— Ah ! ça non, riposte le Tondu. Seuls les armuriers en ont le droit... et ils doivent inscrire le nom de leurs clients sur un registre contrôlé par la police. »

De plus en plus intrigués, nous discutons encore longtemps de cet incident et, en guise de conclusion, décidons d'envoyer à nouveau un Compagnon, demain, à Photo-Flash, avec l'espoir d'apprendre encore quelque chose.

Le lendemain soir, donc, le Tondu se propose, puisqu'il est préférable que ni Gnafron ni moi ne reparaissions dans la boutique.

« J'avais justement envie de rapporter une petite poupée savoyarde à ma sœur, dit-il. Vous pouvez compter sur moi, j'aurai l'œil. »

Comme si nous avions un pressentiment, nous l'accompagnons jusqu'à proximité de la boutique.

« Attendez-moi là, et ne vous impatientez pas. Je me débrouillerai pour faire parler la marchande. Je dirai que j'ai connu un nommé Billy, qui faisait de belles photos de neige. Je verrai la tête qu'elle fera. »

Il s'éloigne à longues enjambées. Un instant, sa silhouette de garçon monté en graine se détache en sombre sur la vitrine éclairée, puis il entre.

Trois ou quatre minutes s'écoulent, pas davantage. Il reparaît tout à coup. En si peu de temps, il n'a sûrement pas appris grand-chose. Il revient vers nous en courant, l'air bouleversé :

« L'homme !... celui qui est venu chez Jeannette... c'est lui, le photographe. Il est dans la boutique, je l'ai reconnu à sa bague, une bague énorme avec l'initiale M. »

Chapitre 8

L'homme des neiges

Cette découverte était troublante, si extraordinaire que nous doutions encore.

« Pourtant, affirma le Tondu, c'est lui. Il est grand et fort, comme l'a indiqué Jeannette, avec des cheveux bruns et un teint bronzé qui l'ont fait prendre pour un Espagnol.

— Et les lunettes ?

— Il n'en porte pas.

— A-t-il une moustache ?

— Non... justement, ni lunettes ni moustache ; il s'était donc "camouflé" pour ne pas être reconnu, quand il s'est présenté chez Jeannette. »

Étendus sur nos couchettes, nous discutâmes longtemps avant de nous endormir. L'homme exerçait-il deux métiers : photographe à Morzine et, en même temps, représentant de commerce ? La Guille fit la moue.

« On comprendrait qu'il ait un autre métier pendant la morte-saison ici, au printemps et à l'automne, mais en plein mois de janvier, quand les hôtels regorgent de monde...

— D'ailleurs, ajouta Bistèque, il n'aurait pas eu besoin de se déguiser.

— Moi, ce qui m'étonne, fit Gnafron en fourrageant dans sa tignasse, c'est son teint. Voyons, le Tondu, est-il vraiment si bronzé ?

— Je n'exagère pas ; il a le visage "cuit" par la neige et le soleil, comme les skieurs qui dévalent les pentes du matin au soir... Mais pourquoi cette question ?

— Parce qu'un photographe passe son temps enfermé dans l'obscurité, au fond de son laboratoire ; ce n'est pas là qu'il peut prendre des couleurs.

— Évidemment, approuva Corget, mais il a probablement un employé, celui qui a remplacé Billy, pour s'occuper du développement des pellicules et du tirage des photos. Pendant ce temps-là, le patron peut se promener dans la neige.

— En tout cas, répliqua le Tondu, nous ne l'avons jamais rencontré sur les pistes. Avec sa carrure, son teint cuivré, je l'aurais remarqué.

— Moi, ce qui me paraît bizarre, fit la Guille à son tour, c'est qu'un sportif de ce genre, taillé en athlète, soit peureux au point de cacher deux revolvers dans sa boutique.

— Bah ! c'est peut-être sa femme qui est peureuse, objecta Bistèque.

— Possible... mais pourquoi cacher ces armes sur une étagère qu'on n'atteint qu'avec un escabeau ? Si l'homme ou la femme étaient attaqués, ils n'auraient pas le temps de les prendre. Non, ces revolvers ont été cachés dans le magasin même pour que personne, la police par exemple, ne vienne les chercher là, parmi les appareils à vendre. »

Bistèque avait peut-être raison, mais nous n'étions guère avancés. Il fallait poursuivre l'enquête, secrètement, en faisant, à tour de rôle, de petites visites à Photo-Flash.

Cependant, une autre idée me traversa l'esprit.

La plus proche boutique du magasin était une épicerie située à une cinquantaine de mètres, en bordure de la grand-rue. J'y étais allé quelquefois acheter du chocolat qui complétait les goûters un peu maigres pour mon appétit devenu féroce. Kafi m'avait accompagné, et un jeune vendeur (probablement le fils de la maison) l'avait caressé, disant qu'il n'avait jamais vu un aussi beau chien-loup.

Le soir même, je retournai à l'épicerie sous prétexte de renouveler ma provision de chocolat. La boutique était presque déserte. En me revoyant avec Kafi, le garçon s'empressa de me servir. Tandis qu'il flattait mon chien, j'amenai la conversation sur Photo-Flash. Le garçon fit la moue.

« Les gens qui tiennent cette boutique ne sont pas d'ici. Ils se sont installés à Morzine à l'automne dernier. Ils se disent parisiens. En tout cas, des gens riches. Tu n'as pas vu leur voiture ?... une américaine, avec un capot long comme ça ! Pourtant, ce n'est pas ce que peut rapporter leur commerce. La boutique n'est pas très bien située, et la photo n'est pas comme l'épicerie.

— Alors, pourquoi sont-ils venus ici ? »

Le garçon haussa les épaules.

« Probablement pour le ski. Lui, c'est un "mordu" de la neige. Dans le pays on l'appelle même "l'homme des neiges", à cause de son anorak blanc. Il ne se contente pas de descendre les pistes tracées, il sort aussi avec son employé, dans la montagne.

— Son employé ?... Tu le connais ?

— Non, il a une tête qui ne me revient pas. Ils sont toujours ensemble. Figure-toi qu'ils sortent même la nuit. L'autre matin, je m'étais levé de bonne heure pour régler la chaudière du chauffage qui s'emballait, je les ai aperçus qui rentraient au chalet.

— As-tu entendu parler d'un autre employé qui s'appelait Billy ? »

Le garçon me regarda curieusement, un peu gêné.

« Oui, Billy, je l'ai connu. Il entrait quelquefois à l'épicerie. Je le trouvais sympathique. Un jour, comme nous parlions de photo, il m'avait montré celle d'une petite sœur qu'il avait laissée à Lyon. Ça m'a fait de la peine quand j'ai appris qu'il était parti avec la caisse ; je ne voulais pas le croire. Depuis, on n'a jamais su ce qu'il était devenu. »

Je remerciai le garçon et remontai au chalet. J'avais surtout retenu que « l'homme des neiges », comme on l'appelait, sortait la nuit avec son employé. Était-ce simplement pour faire du ski quand tout le monde dormait dans la station ? Même pour des « mordus » de la neige, ces sorties nocturnes pouvaient paraître insolites. À de pareilles heures, aucun téléférique, aucun remonte-pente ne fonctionne. Que pouvaient-ils faire dans la montagne ?

« C'est simple, déclara Gnafron, le seul moyen de le savoir est de s'embusquer près de Photo-Flash, d'attendre qu'ils sortent et de les suivre. »

Notre séjour à Morzine était bientôt terminé.

Dans moins d'une semaine, nous serions de retour à Lyon. Si nous voulions éclaircir le mystère qui nous troublait, il fallait faire vite. La bande décida que, dès le lendemain soir, le Tondu, Gnafron et moi — avec Kafi, bien entendu — irions nous dissimuler près de Photo-Flash.

Le ciel était sans lune, mais dégagé quand on quitta le chalet. À cause de la réverbération de la neige, on se serait cru seulement à la tombée de la nuit. Il était dix heures. Personne sur la place de l'église. Cependant, beaucoup de lumières brillaient encore, dans les salles à manger ou salons des hôtels. Derrière les vitres embuées d'un bar-disco-thèque, des skieurs dansaient.

Je trouvai sans peine un abri, précisément der-rière un petit hangar attenant à l'épicerie où j'avais questionné le garçon, endroit idéal pour surveiller le chalet du photographe. Bien chaussés, les capuchons de nos anoraks rabattus, nous ne sentions pas le froid. Il ne restait plus qu'à s'armer de patience. Pris de remords en pensant à M. Mouret qui nous croyait sagement étendus sur nos couchettes, le Tondu fit en soupirant :

« Que dirait le maître, s'il nous savait là ?

— Bien sûr, répondit Gnafron, mais ce qu'il craint, par-dessus tout, ce sont les accidents, et ici, nous ne craignons rien. D'ailleurs, dans une heure nous serons au lit. »

Le temps passait. Au loin, sur la place, le clocher à bulbe de la petite église laissa s'échapper onze coups. Puis un coup tout seul, celui de la demie.

« Ils ne sortent peut-être pas toutes les nuits, sup-posa le Tondu. Pourtant, par ce temps si clair !... »

Il achevait à peine que deux ombres se détachèrent du chalet, deux ombres d'hommes encapuchonnés dans des anoraks clairs. Le cœur battant, nous les vîmes se pencher, fixer leurs skis. Allaient-ils passer devant nous pour rejoindre la grand-rue ? Non, ils montèrent une légère pente, derrière le chalet, et obliquèrent ensuite à gauche pour passer au large des habitations et des hôtels.

« Ils vont peut-être traverser le torrent sur le petit pont de la place, supposa Gnafron, prenons-les de vitesse. »

La grand-rue était, à présent, complètement déserte. Courant à perdre haleine sur la neige tassée de la chaussée, nous atteignîmes la place pour nous réfugier dans l'ombre de l'église. Comprenant qu'il se passait quelque chose d'anormal, Kafi se blottit contre moi sans grogner ni aboyer.

Quelques instants plus tard, les deux hommes apparurent, dans un étroit passage entre le parapet de la rivière et la terrasse d'un hôtel. Ils traversèrent, en biais, la place mal éclairée.

« Regardez ! souffla le Tondu. On dirait qu'ils vont chez nous ! »

Ils s'engagèrent, en effet, dans le petit chemin qui montait, en pente douce, vers le baraquement, mais, avant de l'atteindre, ils quittèrent le sentier pour passer derrière la ferme du père Papoz. À leur façon de skier à longues foulées souples, on voyait bien, comme l'avait dit le petit gars de l'épicerie, qu'ils étaient tous deux des sportifs entraînés. Nous les suivîmes de loin, à grand-peine.

Cependant, à trois cents mètres au-dessus de la ferme, ils s'arrêtèrent, ouvrirent leurs sacs tyroliens et en sortirent des objets, qu'à cette distance il était impossible de distinguer.

« J'ai compris, dit tout à coup le Tondu, ce sont des peaux de phoque qu'ils vont fixer à leurs skis, pour que les planches ne dérapent pas. Ils s'apprêtent certainement à attaquer une longue montée. »

En effet, ils repartirent aussitôt, longeant la forêt, empruntant le raccourci dont avait parlé le père Papoz, celui qui menait à la frontière.

« Impossible de les suivre, soupira Gnafron. Ils vont trop vite pour nous. »

Nous nous contentâmes de les regarder, aussi longtemps que possible, gravir les pentes enneigées. À coup sûr, ils n'étaient pas sortis pour une simple promenade. Ils n'auraient pas pris cette mauvaise piste semée de rochers et de troncs d'arbres, une piste qu'ils pourraient à peine redescendre plus vite qu'ils ne la montaient. Où allaient-ils donc ?

Leurs silhouettes s'amenuisaient déjà dans le lointain quand un souvenir me revint. La veille, M. Mouret nous avait prêté sa longue-vue pour suivre deux alpinistes qui tentaient l'arête verglacée du Roc d'Enfer. Nous ne l'avions pas encore rendue. Je courus la chercher, au chalet tout proche, et, en même temps, j'alertai mes camarades :

« Venez ! L'homme des neiges vient de passer près d'ici, avec un autre. Ils grimpent vers la haute montagne. »

À notre retour, les deux skieurs n'étaient plus visibles. Le grossissement de la longue-vue était supérieur à celui de jumelles ordinaires, mais son « champ » moins étendu. Retrouver les deux hommes au bout de la lorgnette fut tout d'abord impossible. L'instrument passa de main en main. Ni

Corget, ni Bistèque, qui avait une vue perçante, ne réussirent à retrouver trace des skieurs.

Par chance, du premier coup, la Guille les « saisit » au bout de l'objectif. Ils se trouvaient déjà très haut, sur un éperon enneigé, et continuaient leur marche.

« Ne les quitte plus ! s'écria Gnafron, tu serais incapable de les retrouver. »

Alors, haletant, nous restâmes suspendus aux lèvres de la Guille qui commentait l'ascension :

« Ils montent toujours !... ils s'arrêtent pour se reposer !... ils viennent de repartir !... je ne les vois plus !... si, ils reparaissent !... ils obliquent à droite !... »

Malheureusement, le ciel, parfaitement clair au début de la nuit, commençait à se couvrir, précisément du côté de la montagne. Tout à coup, la Guille annonça, navré :

« Fini ! Ils viennent de disparaître dans les nuages, juste au moment où ils arrivaient sur la crête. »

Insister était inutile, car la montagne tout entière se noyait à présent de brume. Elle ne se redécouvrirait certainement pas avant le petit jour. Transis d'être restés longtemps immobiles, nous rentrâmes au chalet. Ainsi, ce soir-là, nous ne saurions pas ce que les deux hommes étaient allés faire, si haut, en pleine neige.

Chapitre 9

Le grand départ

Le lendemain, malgré une nuit écourtée, nous fûmes debout de bonne heure. Le brouillard s'était complètement dissipé. Je me penchai à la lucarne. Dans la clarté du jour naissant, il était facile de reconstituer l'itinéraire emprunté par les deux hommes. La Guille, qui avait suivi leur ascension au bout de la longue-vue, expliqua :

« Je vois très bien. Ils ont longé la forêt givrée avant de contourner l'énorme bosse de rochers où la neige ne s'accroche pas, et que vous apercevez à droite. Puis ils sont passés entre ces deux grands sapins isolés qu'on distingue très bien à l'œil nu. Quand le brouillard les a surpris, ils allaient atteindre cette arête, en forme de dos de chameau. »

Cette crête toute blanche, qui paraissait déjà très haute, se détachait faiblement sur une autre, plus élevée encore, qui marquait certainement la frontière. Qu'existait-il entre elles ?... une dépression ?... un plateau ?

« Probablement un plateau, expliqua Bistèque. Si

la montagne se creusait profondément entre les deux crêtes, les deux hommes auraient pris un autre chemin. »

La lunette passa de nouveau de main en main. Impossible de deviner ce que cachaient les premières cimes, ni même d'évaluer la distance qui les séparait des autres. Cependant, au cas où nos deux hommes seraient encore dehors, nous cherchâmes longtemps à les surprendre sur le chemin du retour. Rien. Étaient-ils déjà rentrés ? Ne redescendraient-ils à Morzine que plus tard : la nuit prochaine, par exemple ?

Nous n'allions pas tarder à le savoir. Au moment où nous dégringolions vers le baraquement pour le petit déjeuner, M. Mouret pria l'un d'entre nous de courir à la pharmacie chercher un flacon de mercurochrome pour soigner les écorchures qu'un camarade venait de se faire, dans le dortoir, en tombant sur le plancher.

« Moi ! » proposa le Tondu.

Il revint un quart d'heure plus tard. Grâce à ses jambes en pattes d'araignée, il avait eu le temps de passer à la pharmacie et de faire, en courant, un crochet jusqu'à Photo-Flash. À sa grande surprise, il avait aperçu l'homme des neiges, derrière les vitres du magasin. Ainsi, les deux skieurs n'avaient sans doute pas poussé leur expédition jusqu'à la frontière, ils n'auraient pu être si tôt de retour. Était-ce le brouillard qui les avait obligés à rebrousser chemin ?

« Je ne crois pas, dit Gnafron. Je pense plutôt qu'hier soir, quand la Guille les a aperçus pour la dernière fois, ils étaient sur le point d'atteindre leur but.

— Une idée ! s'écria Bistèque, descendons jeter un coup d'œil sur la carte épinglée au baraquement. »

Sur la porte du réfectoire, en effet, M. Mouret avait affiché une carte des environs de Morzine, la carte que le syndicat d'initiative éditait à l'usage des touristes. Tous les sentiers, pistes et chemins y étaient indiqués.

« Voyez ! montra Gnafron, la première crête ne cache pas une vallée mais un plateau. Ces petits points noirs représentent des chalets d'alpage. »

Gnafron avait raison, un vaste plateau devait s'étendre entre les deux chaînes, mais nous n'étions guère avancés. Il fallait donc reprendre notre surveillance le soir même. Puisque les deux hommes empruntaient le sentier, derrière la ferme du père Papoz, nous n'aurions pas besoin d'aller nous geler les pieds près de Photo-Flash. Nous ferions le guet par la lucarne de notre chalet.

Ce soir-là, sitôt le repas terminé, nous regagnâmes notre poste d'observation. Par chance, M. Mouret avait oublié de réclamer sa longue-vue, et la nuit était aussi claire que la veille, plus limpide même. S'ils passaient derrière la ferme, les deux hommes ne pouvaient nous échapper.

Une heure s'écoula... puis une autre encore. Personne. Dans le lointain, minuit sonna au village. Toujours rien.

« Il est trop tard, soupira Bistèque, ils ne viendront pas ce soir. Ou alors, ils ont suivi un autre itinéraire. »

Gnafron était très déçu.

« Dire que le secret de la disparition de Billy est peut-être caché là-haut et que nous ne saurons rien.

Dans trois jours, nous rentrons à Lyon et ce sera fini ! »

De rage, il tirait, à se l'arracher, sur sa tignasse noire embroussaillée, et il se coucha en bougonnant.

Pourtant, il ne se tenait pas pour battu. Le lendemain, il demanda à Bistèque et à la Guille, qui n'étaient encore jamais entrés à Photo-Flash, de visiter le magasin, sous prétexte d'acheter un petit souvenir (décidément, nos frères et sœurs ne pourraient se plaindre d'avoir été oubliés). Avant de les envoyer là-bas, je leur expliquai où était placée la fameuse boîte aux revolvers : sur la dernière étagère, à gauche, une boîte verte, presque cubique, portant une étiquette d'appareil photographique.

Quand ils revinrent (chacun avec un chalet miniature), ils affirmèrent que la boîte verte avait disparu de son étagère.

« Donc, conclut Gnafron, c'est qu'elle contenait de véritables revolvers. On ne l'aurait pas fait disparaître si elle ne renfermait que des jouets. »

Toute la journée, une sourde inquiétude nous oppressa, comme à l'approche de graves événements. Sur la nouvelle piste de neige, plus difficile celle-là, où le maître nous avait entraînés, aucun d'entre nous ne goûta vraiment les plaisirs du ski. Nerveux, Gnafron accumula chute sur chute et brisa même une de ses planches. Une seule pensée nous préoccupait. Allions-nous enfin, ce soir, si la nuit était claire, apprendre où se rendaient les skieurs ?

Dès neuf heures, nous étions de nouveau au poste d'observation, derrière la lucarne. Malheureusement, le ciel était bas. Quelques flocons de neige voltigeaient même autour du chalet, poussés par un vent glacial.

« Cela m'étonnerait qu'ils se risquent dehors cette nuit, par un temps pareil », dit Bistèque.

Il se trompait. Ma montre marquait à peine onze heures quand le Tondu, de garde à la fenêtre, nous fit signe. Il venait d'apercevoir une silhouette, puis une autre, se glissant derrière la ferme. C'était eux. Hélas ! tout de suite happées par la grisaille, les silhouettes se fondirent dans la nuit. Une seule certitude : elles s'étaient engagées sur la même piste que l'autre fois.

Ainsi, le mauvais temps n'avait pas arrêté les deux hommes ! S'ils sortaient ainsi sous la neige, ce n'était pas pour une simple promenade.

« Vous remarquez, fit le Tondu, ils sont partis plus tôt que l'autre nuit.

— À cause de la brume, expliqua Gnafron. Dans la "brouillasse" et la neige fraîche, on avance moins vite. Ils ont prévu que la montée serait plus longue que d'habitude. Pour moi, ils ont un rendez-vous quelque part là-haut. »

L'explication était juste. Elle ne fit qu'exciter notre imagination.

« Oui, conclut Corget, à présent, je suis convaincu, moi aussi, qu'ils vont faire là-haut un travail louche... seulement, pour nous, c'est fini. Il ne nous reste plus qu'à tout raconter à M. Mouret qui préviendra la gendarmerie. »

Le malheureux ! que venait-il de dire ? Gnafron lui lança un regard foudroyant.

« Ah ! non. Tu ne vas pas recommencer ! »

Mais, cette fois, au lieu de se rebiffer, Corget répondit calmement :

« Écoute-moi, Gnafron. Tu sais que, maintenant, je ferais n'importe quoi pour aider Jeannette...

seulement, tu vois bien que c'est impossible. Alors, plus tôt la police sera prévenue, plus tôt commencera l'enquête. »

Un sourire désabusé plissa les joues de Gnafron.

« À condition que la police nous croie. Les gendarmes répondront à M. Mouret que ses élèves sont venus à Morzine pour faire du ski et non pour jouer aux détectives en tracassant les gens qui se promènent au clair de lune. »

Et d'ajouter en se redressant :

« Et puis, nous ne sommes pas encore partis ! Il nous reste toute la journée de demain. Attendons le dernier moment pour parler au maître. »

Gnafron avait dit cela avec une telle conviction que personne ne trouva rien à répondre. Nous étions loin de nous douter, et lui aussi, que cet ultime répit allait nous jeter dans la plus effarante des aventures !

Ce soir-là donc, nous veillâmes encore longtemps, dans notre chalet, en pensant aux étranges escalades de ces deux hommes. Avant de m'endormir, je passai doucement le bout de mes doigts dans la belle fourrure de Kafi.

« Après-demain, mon bon chien, nous retrouverons les trottoirs humides de Lyon. Toi aussi, j'en suis sûr, tu regretteras la belle neige. Je t'emmènerai sur les quais de la Saône, voir cette petite Jeannette. Pauvre Jeannette ! Ah ! si nous avions pu lui apporter la bonne nouvelle que son frère n'avait rien fait de mal et qu'il la retrouverait bientôt ! »

... Quand je m'éveillai, le lendemain, quelle surprise ! Jamais la vallée n'avait été aussi belle. Neige et brouillard avaient disparu, chassés par le vent de la nuit. On aurait dit qu'à la veille de notre départ, la montagne avait voulu revêtir sa plus belle robe de fête pour mieux se faire regretter. Jamais, non plus, le soleil n'avait été plus éclatant, la neige plus étincelante. Un vrai décor de rêve !

Au baraquement, nos camarades étaient fous de joie. Ils avaient eu si peur, la veille, de voir gâchées nos dernières heures de neige ! M. Mouret, lui-même, était tout guilleret. Il se frottait les mains en chantonnant. Au moment où nous achevions notre petit déjeuner, il se leva, demanda le silence et annonça :

« Mes garçons ! je tiens à ce que vous conserviez un souvenir inoubliable de ces vacances de neige et, en même temps, je veux vous récompenser de votre discipline. Puisqu'il fait très beau, vous n'aurez que deux heures de classe ce matin. Je viens de demander à la cuisinière d'avancer le repas. Je vous autorise à disposer, à votre guise, de l'après-midi qui suivra... Je recommande seulement à ceux qui choisiront de faire une longue promenade à skis de rester en groupe, comme il est de règle en montagne. Tout le monde devra être de retour au baraquement à six heures précises, pour l'appel. »

Un tonnerre d'applaudissements salua cette déclaration. M. Mouret était vraiment très chic. Pour le remercier, chacun se mit au travail avec entrain. Mais nous avions la tête ailleurs. Heureusement, le maître n'avait pas prévu, pour ce dernier jour, de problèmes sur les robinets et les cuves qui fuient ! Dès midi et demi nous étions libres, vraiment libres. Pour nous six, la question ne s'était pas posée long-temps de savoir ce que nous ferions de cette liberté.

« C'est simple, expliqua Gnafron. J'ai tout cal-culé. L'autre nuit les deux hommes ont atteint le plateau en moins de deux heures. Même en marchant beaucoup moins vite qu'eux, nous avons largement le temps de monter là-haut et d'être de retour pour six heures. Cette nuit, il a neigé à peine. Les traces des skieurs sont sûrement encore visibles. Peut-être saurons-nous où ils sont allés ? »

Mais, pendant ces trois semaines, nous avions beaucoup entendu parler des dangers de la montagne. Nous ne voulions pas partir sans dire à M. Mouret notre intention de faire une grande randonnée. Au moment de lui parler, mon cœur se serra. S'il allait refuser ! Non, il était de bonne humeur et optimiste.

« Quelle idée de grimper dans la montagne quand les pistes balisées sont si belles, fit-il en riant. Mais si ça vous fait plaisir ! En tout cas, je vous le répète, restez toujours ensemble. »

Par acquit de conscience, il alla tapoter le baromètre. L'aiguille baissa insensiblement, mais elle demeurait encore si haut !

« Soyez tranquille, le rassura la cuisinière, le beau temps durera au moins toute la journée. »

Il n'était pas une heure quand la bande quitta le chalet, équipée comme pour une expédition polaire, les poches bourrées de chocolat et de biscuits. Naturellement, Kafi nous accompagnait. Il aurait fait un beau vacarme si je l'avais laissé au père Papoz. En trois semaines, Kafi s'était transformé en chien esquimau. Il raffolait de la neige et s'y vautrait comme un enfant.

Joyeusement, nous saluâmes Morzine qui, en bas, étincelait sous sa carapace blanche. Et en route pour les cimes !

Chapitre 10

Un Compagnon
a disparu

Nous marchions depuis près d'une heure. Sans peaux de phoque pour empêcher nos skis de glisser en arrière, nous montions en louvoyant afin d'adoucir la raideur de la pente, mais au risque de perdre les traces des deux hommes.

« Courage ! » répétait la Guille, devenu notre chef de file.

Cependant, à bout de souffle, il fallut bientôt s'arrêter. Après la pause, malgré l'épaisseur de la neige, on décida de poursuivre l'ascension, skis sur l'épaule, jusqu'à l'endroit où, après les deux grands sapins isolés, la pente deviendrait moins raide. Tombant presque à l'aplomb sur ce versant exposé en plein midi, le soleil était brûlant. Nous transpirions à grosses gouttes. Kafi tirait la langue comme par un jour de plein été.

Enfin, après avoir longé l'interminable forêt, la caravane atteignit les fameux sapins au pied desquels, l'autre nuit, la Guille avait vu passer les deux hommes. Il ne s'était pas trompé. Malgré une légère couche de neige fraîche, des traces de skis étaient parfaitement visibles. Elles formaient même une véritable piste — ce qui prouvait que les hommes n'étaient pas passés là qu'une seule fois. Gnafron, qui n'avait pas de montre, demanda combien de temps nous avions mis pour arriver jusque-là. Il fut effaré de constater qu'il avait fallu près d'une heure et demie.

« Tant que ça ? s'étonna-t-il. Vite, rechaussons nos skis. Il faut que nous soyons là-haut avant quatre heures si nous ne voulons pas rentrer en retard au baraquement. »

Il s'élança le premier, poussant comme un forcené sur ses bâtons. Ainsi que nous l'avions observé d'en bas, à partir des sapins, la pente s'adoucissait. En revanche, plus nous prenions de l'altitude, plus la couche de neige fraîche s'épaississait. Poudreuse, soufflée par le vent, cette neige « portait » mal. Mon pauvre Kafi s'y enlisait profondément et n'osait plus quitter le sillage de mes skis. Malgré nos efforts, nous perdions de précieuses minutes au lieu d'en rattraper.

Enfin, la crête fut en vue. Ainsi que prévu, ce n'était pas une vraie crête, mais l'arête vive d'un immense plateau. En l'atteignant, Gnafron poussa un cri de triomphe :

« Des chalets !... »

Ils étaient deux, enfouis au loin, dans la solitude blanche, deux de ces constructions d'alpage où l'on ne vient qu'en été, quand les troupeaux paissent sur les hauteurs et qui, depuis six mois, dormaient sous leur carapace glacée.

« Voyez ! dit Gnafron, malgré la neige fraîche, on distingue toujours les traces des skis. Elles s'éloignent en direction des habitations. C'est là que nos deux hommes vont la nuit. »

Les légères constructions étaient presque à l'extrémité du plateau, au pied de la chaîne frontière. À quelle distance exacte ? C'était difficile à évaluer. Corget consulta sa montre :

« Trois heures cinq ! Tout n'est pas perdu... mais faisons vite ! »

La perspective de toucher bientôt au but nous donnait des ailes. Reprenant la tête de la troupe, la Guille nous entraîna dans son sillage. Mais c'eût été trop beau si de petits incidents n'étaient encore venus nous retarder. Bistèque avait des ennuis avec la fixation de son ski droit, le Tondu avec le lacet d'une chaussure.

« Curieux ! s'étonna Corget au bout d'un moment. Plus on avance, plus les chalets semblent reculer. Ils étaient donc si loin ? »

Redoublant d'ardeur, nous forçâmes l'allure mais, subitement, en me retournant pour voir si Kafi me suivait, une crainte me saisit.

« Regardez le pic de Nyon... Il est "chapeauté" ! »

Chapeauté, c'était le mot du père Papoz pour dire que le sommet d'une montagne se couvrait de nuages ; d'après lui, ce n'était pas bon signe, surtout quand le pic de Nyon se laissait coiffer le premier.

« Bah ! fit Bistèque, ça ne veut peut-être rien dire. Le baromètre était encore au beau quand nous sommes partis, et, la cuisinière l'a dit, le temps ne changera pas avant demain. »

Nous reprîmes notre marche, poussant toujours plus fort sur les bâtons. Enfin, le milieu du plateau fut atteint. Les chalets, à présent, se distinguaient nettement, plus éloignés l'un de l'autre que nous ne l'avions cru tout d'abord. L'un d'eux, le plus proche, paraissait le plus petit. Les aiguilles de glace qui pendaient de son toit étincelaient au soleil. Certainement, avant un quart d'heure nous y serions.

Mais la Guille s'arrêta à son tour. Le doigt tendu vers une échancrure de la montagne, devant lui, il montrait un léger nuage, aussi fin qu'une écharpe de soie, qui se glissait dans la fente et se déroulait lentement sur le plateau.

« Ah ! non, s'écria Gnafron. Nous n'allons pas nous arrêter pour ça ! »

Après une hésitation, nous allions nous remettre en route quand Corget, à l'arrière, lâcha un cri :

« Le brouillard ! »

Sournoisement, contournant une croupe de montagne, une nappe de brume glissait vers nous. D'un seul coup, elle s'étala sur le plateau, nous enfermant dans sa masse cotonneuse. D'un seul coup aussi, l'éblouissante clarté se transforma en une pénombre grise. On ne distinguait plus rien à dix pas autour de soi. Pris de panique, Kafi vint se réfugier dans mes jambes et me regarda, comme pour me demander la raison de ce subit changement.

« Rentrons vite ! » ordonna Corget.

Serrant rageusement ses bâtons, Gnafron n'osa protester. Il avait compris le danger.

« Attention, recommanda la Guille en reprenant la tête de la caravane, ne perdons pas de vue nos propres traces ! »

Nous le suivîmes, en file indienne. Le brouillard devenait si épais que Corget, devant moi, n'était plus qu'une vague ombre mouvante qui, par instants, s'évanouissait complètement.

« Plus vite ! criait la Guille, plus vite !... »

Nous étions-nous avancés si loin sur le plateau ? Il me semblait que nous aurions déjà dû en atteindre le bord. Fatigués par la longue montée, les jambes coupées par l'émotion, nous perdions le souffle.

Enfin, la voix lointaine de la Guille nous parvint. Il venait d'arriver sur l'arête du plateau ; nous étions sauvés. L'un après l'autre, nous le rejoignîmes. Cependant, Corget s'étonna :

« Et Gnafron ?... Où est Gnafron ? »

Gnafron n'était pas là.

« Il a probablement pris un peu de retard, dit Bistèque ; il marchait derrière moi ; il a peut-être eu des ennuis avec ses skis ; attendons-le ! »

Deux minutes, cinq minutes s'écoulèrent. Gnafron n'apparaissait toujours pas. Corget l'appela de toutes ses forces, puis la bande ensemble. Pas de réponse.

« Pourtant, répéta Bistèque, à moins de cinq cents mètres d'ici, il me suivait encore. Je l'entendais grogner en poussant sur ses bâtons.

— Restez tous les quatre ici, dit la Guille, je pars à sa rencontre. »

Il disparut aussitôt dans la brume. L'air, tout à l'heure brûlant, était devenu glacé. Insensiblement, la vague clarté diminuait. Était-ce le brouillard qui s'épaississait encore ?... le soir qui approchait ?

Enfin, la silhouette de la Guille troua le rideau de brume.

« Rien, dit-il, haletant, je ne l'ai pas retrouvé ! Je me demande ce qui a pu lui arriver. Tu es sûr, Bistèque, qu'il te suivait ?

— Absolument sûr.

— Je l'ai appelé plusieurs fois ; il m'aurait entendu. S'il avait fait une chute, je l'aurais découvert, je ne me suis pas éloigné de la piste. »

Que décider d'autre, sinon de reprendre tous ensemble les recherches. Dans l'obscurité grandissante, la bande s'engagea sur ses propres traces, le regard et l'oreille tendus. Nous marchions depuis quelques minutes quand le Tondu s'immobilisa. Il venait de remarquer, dans la neige fraîche, une large et profonde empreinte.

« Regardez ! Gnafron a fait une chute à cet endroit même. Dans une pareille épaisseur de neige, il n'a certainement pas eu grand mal, mais il a peut-être brisé ses skis. Il n'est pas loin. »

Des appels partirent encore dans le brouillard ; les voix portaient mal. J'invitai Kafi à flairer l'endroit où Gnafron s'était effondré. Il reconnut son odeur, mais ensuite il me regarda d'un air de dire : « Je ne peux pas suivre sa trace dans la neige, c'est trop difficile. »

Que s'était-il passé ? En se relevant, Gnafron n'avait-il pas su retrouver la piste ? Alors, pourquoi aucune autre trace n'était-elle visible, aux alentours du point de chute ? D'autre part, s'il s'était remis en route pour nous rejoindre, nous l'aurions forcément rencontré.

« Je ne vois qu'une explication, conclut Corget. L'empreinte prouve évidemment qu'il est tombé là, mais, en se relevant, au lieu de nous rattraper, il a brusquement décidé de gagner seul les chalets. »

Je protestai vivement :

« Non ! Gnafron n'aurait pas fait ça ! Vous l'avez constaté comme moi, quand nous avons renoncé à aller jusqu'au bout, tout à l'heure, il n'a pas insisté. Il ne nous aurait pas lâchés de cette façon.

— Alors ?

— Sa disparition ne s'explique pas. »

Que devions-nous faire ? Il était plus de cinq heures. Bientôt, la vraie nuit serait là. Je me proposai pour descendre vers la vallée, prévenir M. Mouret. Corget s'y opposa.

« Non, Tidou, toi aussi tu te perdrais dans l'obscurité. Nous allons, ensemble, essayer d'atteindre les chalets. Nous y retrouverons peut-être Gnafron. S'il le faut, nous y resterons jusqu'à l'aube. »

Nous voici pénétrant à nouveau au cœur du lugubre plateau.

À chaque instant, nous croyions entendre Gnafron. Plus qu'un espoir : le retrouver à l'un des deux refuges.

Dans la nuit qui descendait, les traces s'estompaient de plus en plus. Nous devions progresser lentement pour ne pas risquer de les perdre. De temps à autre, la Guille, toujours en tête, recommandait :

« Serrez ! Ne quittez pas des yeux celui qui est devant vous ! »

Soudain, il s'arrêta, inquiet. Il venait de perdre la piste, complètement effacée par l'obscurité. Personne, bien sûr, n'avait songé à emporter une lampe électrique. Qui pouvait supposer que nous en aurions besoin ? Pas la moindre allumette non plus. Penché sur la neige, chacun chercha, en effleurant les aspérités du bout des doigts, à retrouver le chemin perdu. Impossible de reconnaître le sillage des skis.

Que faire encore une fois ? Rebrousser chemin ?... continuer d'arpenter le désert de neige, dans la direction supposée du chalet ?

« Nous ne devons pas abandonner Gnafron, déclara Corget. Il est peut-être là, tout près de nous. Si le brouillard se dissipait, nous l'apercevrions sans doute. Essayons d'atteindre un des chalets pour nous y abriter. Nous repartirons à son secours dès que le temps se découvrira. »

Hélas ! nous ignorions que la montagne, comme la mer, n'offre aucun point de repère et qu'on finit par tourner en rond. Au bout d'une demi-heure, nous avions l'impression d'être toujours au même endroit.

« Je suis à bout de forces », gémit Bistèque en se laissant tomber dans la neige.

Corget ordonna une halte. Dans la nuit totale, impossible de distinguer le cadran de nos montres. J'estimai qu'il était au moins six heures. M. Mouret devait commencer à s'inquiéter, surtout nous sachant partis pour une longue randonnée. Dire que nous avions pris toutes nos précautions pour être de retour à l'heure !

Assis dans la neige, nous dévorâmes avidement les provisions emportées. Chocolat et biscuits redonnèrent à chacun un peu de courage et d'espoir. Réconfortée, la caravane se remit en marche, au hasard, mais, très vite, les skis redevinrent lourds aux pieds. Mon pauvre Kafi lui-même semblait harassé. De temps en temps il laissait échapper de petits grognements plaintifs.

« Arrêtons-nous, supplia à nouveau Bistèque, je ne peux pas aller plus loin. »

Nous étions d'ailleurs tous épuisés. Pourtant, il n'était pas prudent de rester ainsi, immobiles, dans le froid glacial.

« Une idée ! s'écria le Tondu... J'ai vu ça, un

jour, dans une revue. On peut construire une cabane avec des skis. Enlevez vite vos planches. »

En un instant, les dix skis furent rassemblés. Talons disposés en cercle, sur la neige, pointes réunies en haut, ils formèrent bientôt l'armature d'une véritable hutte. De larges plaques de neige bien tassée, déposées sur cette carcasse, élevèrent un mur épais et étanche. La cabane était assez grande pour nous contenir tous les cinq, accroupis, serrés les uns contre les autres. Kafi secoua sa fourrure pleine de neige et vint se coucher sur mes pieds qui se réchauffèrent aussitôt. Bientôt, une douce tiédeur, celle de nos corps rassemblés, imprégna la cabane. Je sentis que, s'il le fallait, nous pourrions tenir ainsi toute la nuit... mais Gnafron ?

Immobiles, les genoux serrés entre les bras, nous écoutions le lourd silence de la nuit, un silence angoissant, qui nous étouffait. Quelle heure pouvait-il être, à présent ? En bas, M. Mouret devait s'affoler. Sans doute avait-il déjà prévenu la gendarmerie, l'équipe de secours en montagne. Mais où nous chercher ? Si, au moins, nous lui avions indiqué la direction que nous devions prendre... Mais, encore une fois, qui aurait pu prévoir un si brusque changement de temps ?

À intervalles réguliers, l'un de nous se levait, inspectait les abords de la hutte pour sonder le ciel et, les mains en porte-voix, lançait des appels aux quatre points cardinaux. Gnafron ne répondait toujours pas et le brouillard s'était installé sur le plateau, comme s'il devait y demeurer éternellement.

Nous étions là depuis un long moment, quand je me levai à mon tour pour appeler. J'eus alors l'impression que le réseau de brouillard qui nous emprisonnait s'était sensiblement relâché. Non, ce n'était pas une illusion, car mon chien, qui m'avait suivi, s'en rendit compte lui aussi. Au lieu de rester près de moi, il s'aventura un peu plus loin, dans la neige. Tout à coup, il se mit à aboyer. Je le rappelai :

« Reviens, Kafi ! Tu vas te perdre ! »

Il continua d'aboyer, sans me rejoindre. Avait-il découvert quelque chose ? Prudemment, guidé par sa voix, je m'avançai dans sa direction et, tout à coup, juste devant moi, se dressa une grosse masse sombre.

« Kafi vient de découvrir un chalet, à dix pas d'ici !... »

Mes camarades se précipitèrent hors de la hutte. Comme moi, ils n'eurent qu'un mot :

« Gnafron ! S'il s'était réfugié là ! »

Fous d'espoir, nous fîmes le tour du chalet pour découvrir la porte. Hélas ! cette porte était fermée à l'aide d'un fil de fer que Gnafron aurait bien été obligé d'enlever pour entrer. Je pénétrai le premier à l'intérieur, prudemment, à tâtons, saisi par une forte odeur d'humidité et de bois pourri.

« Gnafron !... es-tu là ? »

Aucune réponse ! Mon cœur se serra un peu plus. Si notre camarade n'avait pu atteindre ce chalet, avait-il eu la chance de découvrir l'autre ? Mais cet autre chalet, où se trouvait-il ? Probablement assez loin, comme nous l'avions constaté avant l'arrivée du brouillard.

Soudain, tâtonnant le long de la paroi, le Tondu poussa une exclamation. Il venait de découvrir une étagère et, sur cette étagère, un bougeoir où branlait un reste de chandelle.

« Cherche mieux ! s'écria Corget. Si les paysans ont laissé de quoi s'éclairer, tu trouveras peut-être aussi des allumettes ! »

En effet, promenant ses doigts sur l'étagère, le Tondu effleura une petite boîte métallique qui tomba sur le plancher en perdant son couvercle. Corget se précipita à terre.

« Oui ! des allumettes », clama-t-il, triomphant.

Protégées de l'humidité par le métal, ces allumettes étaient encore bonnes. Au troisième essai, Corget réussit à en faire prendre une et — nouveau miracle — la bougie, elle aussi, accepta de brûler. Une mince lueur vacillante éclaira le chalet qui ne contenait, en fait de mobilier, qu'une caisse servant de table, un matelas posé sur un bâti de bois et un grand coffre. Au fond, les paysans avaient laissé un tas de foin qu'à l'automne ils n'avaient sans doute pas eu le temps d'évacuer dans la vallée.

Le coffre n'était pas fermé à clef. Bistèque en retira un gros pain presque entier, vieux de six mois, dur, immangeable. Pourtant, à sa vue, nous sentîmes nos estomacs se réveiller et crier la faim.

« Mettons de la neige à fondre dans cette vieille casserole, fit le Tondu, et faisons-le tremper par morceaux ! »

Pour toute source de chaleur, nous ne possédions que la frêle bougie, placée sous la casserole. Dans l'eau à peine tiédie, le pain refusa d'abord de se laisser imprégner. Enfin, lentement, il se décida à gonfler. Nous nous jetâmes dessus comme sur des croissants frais et Kafi, qui eut sa part, se lécha les babines.

Alors, avec plus d'angoisse encore, nous pensâmes à Gnafron. Hélas ! après l'éclaircie de tout à l'heure, le brouillard s'épaissit de nouveau. Il fallut renoncer à chercher l'autre chalet. D'ailleurs, dans quelle direction le trouver ? Cet après-midi, en débouchant sur le plateau, nous avions aperçu le plus petit à droite, c'est-à-dire vers l'est, mais, à présent, où était l'est ? et dans lequel des deux chalets venions-nous d'échouer ?

« Nous ferions mieux de nous étendre et d'essayer de dormir, dit le Tondu ; nous reprendrons plus vite des forces pour repartir au secours de Gnafron dès que la brume quittera le plateau. »

C'était, en effet, ce que nous pouvions faire de plus raisonnable. Pour me préserver du froid, je me glissai jusqu'au cou dans le foin, avec Kafi qui s'y creusa une confortable niche. Malgré ma volonté de rester éveillé, au cas où des appels nous parviendraient, je me sentis gagné par une lourde torpeur qui me conduisit tout droit au sommeil... et à d'horribles cauchemars ! Je marchais dans la neige, dans d'immenses champs de neige, essayant de rattraper une petite forme noire qui fuyait devant moi. Je courais pour l'atteindre ; elle fuyait encore plus vite et, épuisé, je m'effondrais sur le plateau.

Mais tout à coup, à la fin d'un de ces cauchemars, je crus reconnaître la voix de Kafi. À demi éveillé, j'étendis la main pour le toucher. Il n'était plus là. Réveillé tout à fait, cette fois, je bondis hors du foin. Je me souvins qu'avant de se coucher Corget avait posé le bougeoir sur la caisse. Je frottai une allumette et allumai la bougie.

« Kafi ! où es-tu ? »

Il avait dû sortir par l'entrebâillement de la porte

disloquée que nous n'avions pu refermer complètement. Je me hasardai sur le seuil du chalet.

« Kafi !... Kafi !... »

Des aboiements me répondirent aussitôt, et Kafi accourut. Il se frotta contre moi, poussant de petits grognements d'impatience. Pourquoi était-il sorti au lieu de rester au chaud près de moi ? Avait-il entendu du bruit sur le plateau ?

J'appelai mes camarades :

« Levez-vous ! Kafi a vu ou entendu quelque chose ! »

À la maigre lueur de la bougie, nous explorâmes les abords du chalet. Rien. Pourtant, Kafi demeurait en alerte. Plusieurs fois, il fit semblant de partir, toujours dans la même direction, et revint tirailler le bas de mon anorak comme pour me signifier : « Suis-moi ! »

Cependant, Corget hésitait à se laisser entraîner. Dehors, la nuit était toujours aussi dense, le brouillard aussi épais. Allait-on se perdre encore une fois ?

Bistèque insista. Pauvre Bistèque ! Il se sentait un peu responsable de la disparition de Gnafron, jugeant qu'il aurait dû s'apercevoir que notre camarade n'était plus derrière lui.

« Suivons Kafi ; il a peut-être entendu des appels ! »

Par précaution, nous emportâmes allumettes et bougie. Kafi nous guida dans l'obscurité mais, très vite, il se montra hésitant.

« Cherche encore, Kafi ! »

Dans la nuit glaciale, nous avancions comme des fantômes. Au bout d'un moment, de plus en plus inquiet, Corget ordonna :

« Rentrons à l'abri. En nous éloignant nous risquons de ne plus retrouver le chalet. »

Cependant, Kafi n'était pas satisfait. Il continuait de pousser de petits grognements, toujours dans la même direction. Au moment où nous venions de faire demi-tour, il se planta devant moi comme pour me barrer le chemin et gronda furieusement. Je criai à mes camarades :

« Restez là, je vais voir avec lui ; quelques pas seulement. Je me guiderai sur votre voix pour vous rejoindre. »

Kafi m'entraîna sur la gauche et, tout à coup, je me trouvai devant l'autre chalet. J'appelai mes camarades, qui me rejoignirent aussitôt. Dans l'obscurité presque complète, ce chalet formait une énorme masse sur la neige. Il paraissait plus grand que celui que nous avions quitté. Gnafron s'y était-il réfugié ? Était-ce sa voix que Kafi avait reconnue ? Mais comment serait-il entré puisque la porte, elle aussi, était fermée par un fil de fer ? Corget promena la bougie devant le panneau de bois.

« Pourtant, remarqua Bistèque, regardez ! La neige a été dégagée au bas de la porte, pour faciliter l'ouverture.

— Et ces traces de skis, ajouta le Tondu... celles des deux hommes, certainement. Attention ! ils vont peut-être venir, malgré le brouillard. »

Je collai l'oreille contre le chalet. Aucun bruit à l'intérieur. Alors, Corget enleva le fil de fer tandis que le Tondu l'éclairait avec la bougie. Avec précaution, il poussa la porte et s'avança. Aussitôt, il recula en poussant un cri :

« Gnafron ! »

Notre camarade était là, inerte, sur le plancher, bras et jambes attachés avec des cordes à fourrage, le capuchon de son anorak complètement rabattu sur son visage...

Chapitre 11

Le visiteur solitaire

Nous nous précipitons. Corget relève le capuchon qui couvre le visage de Gnafron. Les yeux clos, notre camarade semble dormir. Est-il évanoui ?... blessé ?... serait-il... ?

Non, ce n'est pas possible ! À genoux devant le corps inerte, le Tondu constate avec soulagement qu'il ne porte aucune blessure et respire régulièrement.

Il est simplement évanoui, comme Jeannette, l'autre jour. En tout cas, il n'a pas souffert du froid ; ses mains sont chaudes, même à travers ses gants.

Depuis combien de temps gît-il, ainsi ligoté, sur le plancher ? Qui l'a surpris et terrassé ? Pour l'instant, dans notre joie de l'avoir retrouvé, nous ne pensons qu'à détacher ses liens, deux grosses cordes à fourrage que ses agresseurs ont trouvées sur place. Le pauvre Gnafron se laisse « déficeler » sans réaction, comme un mannequin.

« Essayons de le ranimer en le frottant avec de la neige », propose la Guille.

La neige glacée irrite sa peau et la rougit, sans autre résultat.

« Curieux ! fait Bistèque en se penchant. Toi, Tidou, qui as bon odorat, approche-toi de son visage, sens. »

Bistèque a raison. À chaque expiration, une odeur bizarre s'échappe des lèvres de Gnafron, une odeur de pharmacie ou d'hôpital. Notre camarade n'est pas simplement évanoui. On l'a endormi avec de l'éther ou du chloroforme. Nous nous regardons.

« Si c'est ça, soupire la Guille, nous ne pouvons rien... qu'attendre son réveil. »

J'aide le Tondu et Corget à le soulever et à le transporter pour l'adosser à la paroi du chalet. Il ne réagit pas davantage. Son visage, un instant coloré par les énergiques frictions, est redevenu pâle.

« Pour dormir de cette façon, conclut Corget, on a dû lui faire absorber une fameuse dose de drogue. »

La Guille hoche la tête.

« Pas forcément. Il ne dort peut-être pas depuis longtemps ! »

Pour moi, cela s'est probablement passé tout à l'heure, quand Kafi a aboyé. Mon chien a cru entendre les appels de Gnafron perdu dans la neige. C'était plutôt le ou les inconnus qui se sont jetés sur lui pour le ligoter. Cependant, Bistèque hoche la tête.

« Qu'est-ce qui prouve que Gnafron a été attaqué ici ? Il a peut-être été surpris sur le plateau. »

Ce n'est pas mon avis.

« Non, Gnafron n'a pas fait de mauvaise rencontre dans la neige. On ne voyait rien à dix mètres devant soi... En tout cas, nos deux hommes, si ce sont eux, ne l'auraient pas amené ici. Ils ne tenaient pas à ce que quelqu'un sache ce qu'ils venaient y faire. Croyez-moi, s'ils s'étaient trouvés dehors, nez à nez avec Gnafron, ils l'auraient tout simplement semé dans la brume. »

Corget et le Tondu m'approuvent.

« Pourtant, remarque encore Bistèque, si Gnafron avait entendu du bruit, il se serait méfié ; il pensait que le chalet était le but de leur sortie. Il se serait caché dans un coin. Regardez, les endroits ne manquent pas. »

Les cachettes ne manquent pas, en effet, car ce chalet, plus vaste que l'autre, est divisé en deux par une cloison percée d'une ouverture sans porte. Gnafron n'est pas gros ; il serait passé inaperçu. Que s'est-il donc produit ?

« C'est simple, explique le Tondu, Gnafron n'avait pas l'heure. Il a cru n'être resté que quelques instants évanoui dans la neige. En entendant du bruit, dehors, il a été persuadé que c'était nous.

— Probable, approuve Corget. D'ailleurs, en supposant toujours que l'homme des neiges et son acolyte aient fait le coup, il y a quelque chose que je m'explique mal. Il est à peine minuit. Kafi a donné l'alerte il y a plus d'une demi-heure. À onze heures, nos deux hommes étaient donc déjà ici. Or, avec ce brouillard à couper au couteau, la montée leur a demandé plus de temps que d'habitude. Ils auraient donc dû quitter Morzine avant neuf heures, c'est-à-dire au moment où la station est encore pleine de monde. »

La Guille fronce les sourcils.

« Où veux-tu en venir ?

— Je mettrais ma main au feu que Gnafron n'a pas été ligoté par nos deux hommes.

— Par qui, alors ?

— Par d'autres... Quant aux nôtres, ils sont probablement en route. Apprêtons-nous à les voir arriver. »

Une nouvelle crainte nous saisit. À la lueur de la bougie qui achève de se consumer, nous nous découvrons des visages atterrés. Mais soudain, je tressaille. Saisissant la bougie des mains de Corget, je me précipite au fond du refuge en m'écriant :

« Regardez ! »

Je viens de découvrir une feuille de papier, arrachée à un carnet, posée sur le plancher et où sont griffonnés ces mots :

Trouvé ce garçon ici. Il dort !!! N'a rien vu. Délivrez-le en partant, mais laissez-le dormir. Chalet terminé. Demain, même heure, cinquième étage, troisième rayon à droite.

Nous relisons plusieurs fois cet étrange griffonnage.

« J'en étais sûr, fait alors Corget, ce papier est destiné à nos deux hommes de Morzine. Il a été écrit par d'autres, venus d'ailleurs et probablement en avance sur leur horaire. À cause du mauvais temps, ils n'ont pas attendu leurs complices. »

Cependant, que signifie au juste ce message ? Le début paraît assez net. Les trois points d'exclamation après « *il dort* » prouvent que le sommeil de Gnafron n'est pas naturel. Le conseil de le laisser dormir quand les autres partiront est clair aussi. Il ne faut pas que Gnafron sache ce qui se passe ici. Mais que veut dire « *chalet terminé* » ?

« Probablement, suppose la Guille, les complices se méfient. Par prudence, ils indiquent qu'il n'y aura plus de rendez-vous ici.... ce qui explique la suite.

— Oui, dit Corget, "*cinquième étage, troisième rayon à droite*", ce sont les mots d'un code secret entre les deux équipes pour désigner le nouveau rendez-vous. »

Puis, consultant sa montre :

« Minuit moins le quart. Après tout, l'homme des neiges et son compère, eux aussi, seront peut-être en avance. Cherchons un endroit sûr pour nous cacher, avant que la bougie ne s'éteigne. »

Nous explorons les deux parties du chalet. Derrière la cloison centrale, le grenier renferme du fourrage. Contre la paroi sont appuyés de vieilles planches et un traîneau sur lequel on a étendu une bâche verte, sans doute pour la faire sécher. Cette bâche servira de paravent pour dissimuler Gnafron. Quant à nous autres, nous nous cacherons dans le foin.

Aussitôt dit, aussitôt fait. Gnafron est étendu derrière la toile. Nous nous glissons dans le fourrage, prêts à nous y enfouir complètement à la moindre alerte. Soulagés de notre angoisse, à présent que Gnafron est retrouvé, nous ne pensons plus qu'à l'homme des neiges. Non, nous n'avons plus peur ! À six avec Kafi, que craignons-nous ?

Dans une heure, peut-être avant, ils seront là. Mon cœur bat à tout rompre. L'oreille tendue, nous écoutons. Rien. Pourvu que Gnafron ne s'éveille pas juste au moment où ils arriveront. Ce serait la catastrophe !

Tout à coup, Kafi dresse l'oreille. Moi aussi, j'ai entendu. Derrière sa bâche, Gnafron a soupiré.

« Vite, Corget ! la bougie. »

Gnafron vient de s'éveiller ou, plutôt, il commence à s'agiter, comme quelqu'un qui sort d'un long somme. Il ouvre les yeux, cille plusieurs fois en fixant la flamme de la chandelle, puis regarde autour de lui en passant la main sur son front.

« Les... les deux hommes !... ils... ils... »

Il éprouve une grande difficulté à articuler les mots et nous regarde fixement d'un air inquiet. Puis il se redresse, passe encore la main sur son front en soupirant. La Guille sort chercher de la neige et lui en frotte les tempes. Il tressaille de la tête aux pieds et répète :

« Les deux hommes !... ils... Expliquez-moi. »

Rapidement, sous la froideur de la neige que la Guille maintient sur son front, il retrouve ses esprits. Pressés par le temps qui passe, nous le questionnons tous à la fois :

« Parle, Gnafron ! Que s'est-il passé ?... Es-tu venu seul dans ce chalet ?... Pourquoi nous avoir abandonnés, tout à l'heure, juste au moment où nous arrivions au bout du plateau ? »

Notre camarade essaie de rassembler ses souvenirs :

« Je ne sais pas ce qui m'est arrivé quand je vous suivais. J'étais à bout de forces, j'ai eu un vertige, un éblouissement, oui, c'est ça, un éblouissement. Je suis tombé dans la neige. Quand je me suis relevé, Bistèque n'était plus devant moi. J'ai voulu retrouver la piste, je crois que je me suis trompé de direction, j'ai dû repartir en sens inverse.

— Et alors ?

— Alors j'ai marché, marché... Je ne vous retrouvais pas. Je vous appelais, personne ne me répondait. J'ai cru devenir fou de peur. Et, au moment où j'allais me laisser tomber dans la neige, épuisé, j'ai aperçu un chalet devant moi. »

Il s'arrête, le souffle coupé par l'émotion et l'effort. Puis il reprend :

« Je suis entré pour me reposer, me disant qu'ensuite, je repartirais à votre recherche. Je n'en ai pas eu le courage. J'ai senti que, si je me risquais de nouveau dans la neige, je tomberais d'épuisement et ne pourrais plus me relever. J'espérais que le brouillard se lèverait et que vous me trouveriez ici.

— Tu n'as pas pensé que c'était dangereux de rester là, à cause des deux skieurs ?

— Je ne me rendais pas compte de l'heure. J'ai dû rester longtemps évanoui dans la neige. Je pensais avoir du temps devant moi, avant leur arrivée... c'est pour cela que je n'ai pas eu peur quand j'ai entendu du bruit, j'ai cru que c'était vous. Je me suis précipité vers la porte et me suis trouvé face à face avec deux hommes. Ils m'ont demandé ce que je faisais là, en pleine nuit. J'ai raconté que le brouillard m'avait surpris sur le plateau.

— Tu as dit que tu n'étais pas seul ?

— Je n'ai parlé de personne.

— Comment étaient-ils, ces deux hommes ?... Tu les as reconnus ?

— Ils m'aveuglaient avec leur lampe de poche, je ne distinguais que leurs silhouettes. Je crois pourtant que ni l'un ni l'autre n'étaient l'homme des neiges.

— Après t'avoir interrogé, qu'ont-ils fait ?

— Je ne sais pas ce qui s'est passé. Brusquement, l'un d'eux m'a saisi aux poignets. Ils m'ont plaqué, sur la bouche, un mouchoir imprégné d'une drôle d'odeur... ensuite, plus rien, je crois que je me suis évanoui.

— Non, Gnafron, pas évanoui. Ils t'ont endormi et, ensuite, ligoté avec des cordes à fourrage.

— Des cordes ? s'étonna Gnafron. Je ne me souviens de rien. »

Cependant, tandis que Gnafron parle, Corget s'inquiète, à cause de l'heure.

« Comment te sens-tu, à présent ?

— Presque bien... j'ai seulement très mal à la tête.

— Peux-tu te lever ?

— Bien sûr !

— Alors cache-toi dans le tas de foin, avec nous. Nous t'expliquerons ce qui se passe. »

Nous revenons dans nos niches, et je garde Kafi près de moi, tenant son collier.

« Surtout, Kafi, retiens-toi d'aboyer ou de gronder, même si tu entends du bruit ; compris, Kafi ? »

Alors, le cœur palpitant d'émotion, nous attendons, cherchant à percer, à l'extérieur, le silence. Oh ! qu'il est impressionnant, ce grand silence de la nuit en haute montagne ! Je pense avec angoisse à M. Mouret. Il a dû mettre Morzine en révolution ; mais où nous rechercher ? Cher M. Mouret ! Il avait tant voulu nous faire plaisir pour ce dernier jour de neige.

Le temps passe lentement. Gnafron, qui a

retrouvé toute sa lucidité, s'inquiète à son tour de l'heure, qu'il demande à Corget. Pour éviter de mettre le feu au fourrage, Corget sort un instant de sa niche et frotte une des dernières allumettes.

« Une heure du matin ! S'ils avaient renoncé à venir ? Si l'alerte donnée à Morzine par notre maître les avait dérangés au moment de partir ? »

Mais Corget vient à peine de regagner sa niche que Kafi, contre moi, tressaille. À grand-peine, il se retient de gronder. Pour le rappeler à l'ordre, je tire sur son collier. À voix basse, je glisse à l'oreille du Tondu, près de moi :

« Alerte ! Kafi vient d'entendre un bruit ! »

Quelqu'un, en effet, s'est approché du chalet, on distingue nettement le frou-frou des skis dans la neige. Une main tâtonne contre la porte... la porte s'ouvre ; nous le devinons au courant d'air glacé qui pénètre jusque dans le grenier... la porte s'est refermée en grinçant légèrement. Un inconnu est entré, avec méfiance, semble-t-il ; il hésite. L'homme est seul. Un rayon de lampe électrique se promène dans le chalet. Je perçois un léger bruit de skis qui s'entrechoquent comme lorsqu'on les rassemble après les avoir enlevés. Aussi intrigué que nous, Kafi frémit contre moi, prêt à bondir, car, pour lui, ce chalet nous appartient puisque nous y sommes, et l'inconnu est entré sans permission dans notre maison.

Après avoir exploré la première salle, le faisceau se dirige à présent vers le grenier. Nous nous glissons au fond de nos niches. L'homme s'avance. Nous a-t-il entendus ? Vient-il se coucher dans le foin, lui aussi ? Toujours au bruit, je comprends qu'il vient de déposer ses skis derrière le traîneau dressé contre la cloison, comme s'il voulait les cacher. Puis il retourne dans la première pièce qu'il semble explorer minutieusement. Je l'entends soulever une planche, le couvercle du grand coffre de bois qui, comme dans l'autre chalet, doit servir à la fois d'armoire et de garde-manger. Que contient ce coffre ? Dans notre émoi, nous n'avons même pas songé à l'ouvrir... Mais que se passe-t-il ? Sitôt le couvercle retombé, plus aucun bruit. Le silence est redevenu total, comme si l'homme était reparti. Pourtant, il n'a pas rouvert la porte. La respiration suspendue, nous attendons. Un long moment s'écoule ; toujours le même silence.

« Bizarre ! murmure le Tondu. On dirait qu'il est reparti, pourtant la porte n'a pas bougé... et il a laissé ses skis. Comment traverser le plateau sans skis ? »

Chapitre 12

Poursuite dans la nuit

L'oreille tendue, nous attendons. Le moindre mouvement peut nous trahir. Repliés dans le foin, mes membres s'engourdissent. Une brindille d'herbe sèche me chatouille une narine, je me retiens à grand-peine d'éternuer.

Un quart d'heure passe. Toujours le même silence. Kafi commence à s'impatienter. Cette présence immobile, à l'autre bout du chalet, l'intrigue de plus en plus. Il tire sur son collier.

Soudain, alors que je croyais l'avoir calmé, il lâche un grondement furieux. Aussitôt, le couvercle du coffre bascule. L'homme surgit.

« Qui est là ? »

Nous ne répondons pas.

« Qui est là ? » répète l'homme, dans l'obscurité.

Une main s'avance, effleure Gnafron qui pousse un cri.

« Lâche ton chien, rugit Corget, nous sommes attaqués ! »

L'homme braque sa lampe électrique dans notre direction et nous aperçoit.

« Je ne veux pas vous frapper ! Que faites-vous là ?

— Et vous ? » riposte le Tondu.

Le faisceau de la lampe nous éblouit. Impossible de distinguer les traits de l'inconnu.

« Qu'attendiez-vous, caché dans le coffre ? » questionne Corget à son tour.

Pas de réponse ! Pendant quelques secondes, chacun de nous s'interroge. Nous sommes six et Kafi, à lui seul, vaut autant que toute la bande réunie. Corget me fait signe ; l'homme a compris. Il recule.

« Non, pas cela ! je vous expliquerai... tout à l'heure. Je ne suis pas votre ennemi. Au contraire, si vous êtes là, par hasard, à cause du brouillard, vous pouvez m'aider.

— Vous aider ?

— Vous ne pouvez pas comprendre. Aidez-moi ! »

Soudain, il tressaille, tend l'oreille.

« Écoutez ! Dehors !... Du bruit !... ce sont eux ! Retournez dans le foin. Je vais regagner mon coffre. »

Il éteint sa lampe et, à tâtons, se glisse vers le bout du chalet. Instinctivement, nous obéissons et nous glissons dans le fourrage. À peine y sommes-nous enfouis que des voix nous parviennent de l'extérieur. La porte s'ouvre. Je maintiens Kafi de toutes mes forces pour qu'il n'aboie pas de nouveau. Deux hommes sont entrés. Ils s'éclairent d'une torche électrique et parlent à haute voix. À coup sûr, ce sont ceux que nous attendions. Mais alors, qui est l'autre ?

« Curieux ! fait l'homme des neiges dont nous reconnaissons la voix à présent. Ça sent la bougie. Les autres auraient-ils oublié leur lampe ?

— Ils devaient être dans la lune, ce soir, reprend le second ; as-tu remarqué ? ils n'ont même pas refermé la porte avec le fil de fer, en repartant. »

Épuisés par la longue montée, ils soufflent un moment, puis la discussion reprend :

« Je me demande pourquoi il y avait tant de monde tout à l'heure à Morzine, quand nous sommes partis. Le temps n'était pourtant guère engageant, et à onze heures passées... !

— Bah ! Un accident sans doute, un skieur perdu dans le brouillard, et qui n'est pas rentré. C'est déjà arrivé le mois dernier. Tout Morzine était mobilisé.

— Il faudra se méfier, tout à l'heure, en redescendant, nous pourrions faire de mauvaises rencontres. »

Nouveau silence. Nous entendons les deux hommes déboucler leurs sacs et les déposer sur le plancher. Quelques instants plus tard, nous parviennent de petits bruits bizarres, des grincements de planches puis des frottements, des froissements de papier. Que sont-ils en train de faire ?

La respiration suspendue, nous tendons l'oreille quand un bruit sec de planche projetée à terre nous fait sursauter. L'inconnu vient de sauter hors du coffre. L'homme des neiges lâche un juron, pousse un cri de douleur. Une lutte rapide, farouche s'engage entre l'inconnu et les deux arrivants. Une lampe électrique tombe à terre et s'éteint, une autre, violemment projetée contre la paroi du chalet, s'éteint également. Mais l'obscurité n'arrête pas la lutte. Devons-nous intervenir ? Laisser au contraire les trois hommes régler leurs comptes entre eux ?

Soudain, une voix lance dans notre direction :

« À l'aide, les garçons ! à l'aide !... »

Nous bondissons de nos cachettes. Obéissant toujours à notre instinct, nous avons pris le parti de l'inconnu qui lutte seul contre deux. Hélas ! dans sa précipitation, Kafi entortille sa corde au montant du traîneau. Dans l'obscurité, je n'arrive pas à le délivrer. Pendant ce temps, mes camarades ont sauté dans l'autre partie du chalet. Trop tard ! L'inconnu vient de recevoir un violent coup de poing qui résonne contre sa poitrine. Il s'écroule et, se heurtant à lui, Bistèque et la Guille trébuchent et tombent à leur tour.

« Vite ! lance une voix dans l'obscurité, filons !... »

Le temps, pour mes camarades, de ramasser une lampe électrique, pour moi de détacher Kafi, les deux hommes ont disparu alors que l'inconnu gît, inerte, sur le plancher.

« Vous deux, Bistèque et Gnafron, commande Corget, restez près de lui ! Les autres, venez avec moi ! »

Nous perdons de précieuses minutes à retrouver nos skis enchevêtrés et à les chausser. Heureusement, les deux fuyards, dans leur hâte, ont laissé leur lampe et nous avons récupéré l'autre. La Guille repère aussitôt la trace des skis dans la neige.

« Ils sont partis de ce côté, suivez-moi ! »

Furieux de s'être stupidement ligoté au moment où nous avions besoin de lui, mon brave Kafi ne se connaît plus. Comprenant que nous entreprenons une chasse à l'homme, il bondit. Je hurle :

« Rattrape-les, Kafi ! »

Il disparaît devant nous et ses aboiements s'affaiblissent vite, amortis par la neige. Lampe aux dents, pour éclairer la trace des fugitifs, la Guille pousse de toutes ses forces sur ses bâtons. Nous le suivons à grand-peine. Nous avons parcouru quatre ou cinq cents mètres, quand mon cœur fait un bond. Je m'arrête net, les jambes coupées.

« Un coup de feu ! Kafi les a rejoints, ils ont tiré sur lui !

— Mais ils l'ont manqué ! crie aussitôt Corget, il aboie toujours ! »

Hélas ! presque au même moment, retentissent une deuxième puis une troisième détonation. Affolé, je lance de toutes mes forces :

« Vite ! au secours de mon chien ! »

Nous fonçons de nouveau dans la brume. Trois, quatre coups de feu claquent encore, plus rapprochés, mais Kafi aboie toujours. Jamais nous n'avons skié aussi vite. Malheureusement, pour tromper mon chien, les misérables ont obliqué tantôt à droite tantôt à gauche.

Enfin, brusquement, j'aperçois Kafi dans le rond lumineux de la lampe. Son oreille droite est couverte de sang. Il tient entre ses dents un petit objet de couleur sombre.

« Un revolver ! » s'écrie la Guille.

Sans se soucier de sa blessure, battant de la queue, Kafi nous invite à le suivre... et nous découvrons deux silhouettes, immobiles, serrées l'une contre l'autre. Il est facile de reconstituer ce qui s'est passé. Perdus, ayant épuisé toutes leurs munitions, les deux hommes ont compris que leur fuite était inutile. Ah ! brave Kafi, tu viens encore de faire du bon travail ! Une balle a traversé le cornet de son oreille droite. Un peu de sang coule sur son pelage. Il ne s'en aperçoit pas. Il gambade autour de nous comme pour me dire : « Tu vois, Tidou, tu m'avais demandé de les arrêter, c'est fait. »

Et il me présente, comme un trophée, l'arme désormais inutile qu'un des deux hommes, dans un dernier geste de défense, a sans doute jetée vers lui. Mais, à notre arrivée, les fugitifs se reprennent.

« Pourquoi nous suiviez-vous ? Rappelez votre chien ! »

Je demande :

« Qu'étiez-vous venus faire dans ce chalet ?

— Dites donc, mauvais garnements, de quoi vous mêlez-vous ?

— Suivez-nous ! »

Les deux skieurs le prennent de haut.

« Vous suivre ? Il ne vous suffit pas de nous avoir fait perdre la piste, à cause de votre sale chien ?

— Remontez avec nous au chalet ! »

Ébloui par la lampe que Corget lui braque dans les yeux, l'homme des neiges serre les poings et s'avance, le bras levé, menaçant. Kafi bondit. D'un seul élan, il atteint l'homme à l'épaule et arrache la manche de son anorak blanc. L'homme pousse un grognement de colère et recule.

« C'est bon, lâche-t-il entre les dents... mais vous ne perdrez rien pour attendre ! Nous réglerons ça en bas, devant les gendarmes. »

Furieux, ils reprennent leurs bâtons, avec lesquels ils n'ont pas réussi à se débarrasser de Kafi. Mon chien les suit, sur les talons, mais tout à coup il se retourne comme pour nous faire comprendre que nous avons oublié quelque chose.

« C'est vrai ! s'écrie le Tondu, ils n'ont plus leurs sacs. C'est ce que Kafi veut nous dire. »

En entendant le mot « sacs », Kafi frétille de la queue. C'est un mot qu'il connaît parfaitement. Quand j'habitais en Provence, à Reillanette, ce mot signifiait pour lui « partir en promenade dans les bois ». Nous revenons donc sur nos pas, et Kafi nous entraîne vers une bosse de neige. Cette neige recouvre les deux sacs que les fugitifs, malgré le harcèlement de Kafi, ont eu le temps de camoufler. Il faut croire que notre trouvaille les inquiète terriblement, car ils veulent nous empêcher de les ramasser.

« N'y touchez pas... ! sinon !... » s'écrie le photographe.

Les poings se lèvent de nouveau, mais Kafi veille. D'un deuxième bond, il déchire du haut en bas l'autre manche de l'anorak blanc. Effrayé, le complice fait un écart pour échapper à l'attaque.

Alors, le Tondu passe à ses épaules les bretelles de l'un des sacs tandis que la Guille se charge de l'autre en disant :

« Nous les ouvrirons tout à l'heure, devant Gnafron et Bistèque. »

La caravane se remet en marche, la Guille en tête suivi de nos deux prisonniers dont Kafi guette les moindres écarts. Jamais nous ne pensions avoir parcouru tant de chemin depuis le chalet. Heureusement, grâce à la précieuse lampe, la piste est facile à retrouver. D'ailleurs, le brouillard s'est un peu dissipé. Oui, il s'atténue.

Le faisceau de lumière s'enfonce plus avant dans la nuit.

Enfin, le chalet ! Gnafron et Bistèque qui commençaient à s'inquiéter ont reconnu nos voix. Bistèque déclare aussitôt :

« L'homme a dû recevoir un fameux coup de poing. Il ne bouge toujours pas. Impossible de voir son visage ; la bougie est usée. »

Sur le seuil du chalet, nos prisonniers hésitent. L'homme des neiges ne peut retenir un nouveau geste de menace, tandis que l'autre se contente de serrer les mâchoires. Nous les alignons contre la paroi, sous la garde de Kafi. Abaissant sa lampe, Corget dirige le faisceau lumineux vers l'inconnu. Le coup qui l'a envoyé à terre devait être terrible, en effet. Cependant, quand la lumière passe sur son visage, ses paupières frémissent légèrement.

Corget se tourne vers les deux skieurs.

« Qui est cet homme ? »

Ni l'un ni l'autre ne daignent répondre. Devrons-nous attendre, pour le savoir, que l'inconnu retrouve ses esprits ? Si c'est un complice... ou un rival, parlera-t-il davantage ?

« Fouillons les sacs, dit Corget, nous serons fixés ! »

À peine a-t-il commencé de délier les cordons que l'homme des neiges bondit. Mais Kafi est là. Rageusement, il se jette sur l'agresseur. L'homme pousse un cri de douleur et se réfugie dans un coin.

« Vite, des cordes, ficelons-les ! »

En un tour de main, les misérables sont solidement attachés. J'aide alors Corget et la Guille à ouvrir les sacs. Chacun renferme un gros paquet, soigneusement confectionné et d'un poids respectable. À grands coups de canif, la Guille cisaille les ficelles. Une triple épaisseur de papier et de carton protège les colis. Brusquement, leur contenu s'étale à nos pieds.

« Des montres en or !

— Des bracelets !

— Des bagues, des colliers !... »

Les deux hommes, pieds et poings liés, se regardent atterrés. Cette fois, ils sont pris !

« Des contrebandiers ! s'écrie Gnafron. À présent, je comprends tout. Des complices venaient, de l'autre côté de la frontière, avec les marchandises qu'ils cachaient ici, sous le plancher... et ces deux "messieurs" n'avaient plus qu'à en prendre livraison. »

Puis, abaissant le regard vers le troisième homme, étendu à terre, toujours immobile :

« Mais celui-ci ?... un voleur qui les avait dépistés et cherchait à s'emparer du butin ?... »

Gnafron secoue l'inconnu pour tenter de le ranimer quand un bruit étrange, venu du dehors, nous fait subitement dresser l'oreille. Bistèque court vers la porte et revient en levant les bras.

« Une lumière qui bouge dans le ciel !... Venez vite ! »

Abandonnant nos prisonniers qui ne risquent guère de s'échapper, nous nous précipitons hors du chalet. Le brouillard s'est complètement dissipé. Parmi les étoiles, il en luit une qui, beaucoup plus grosse que les autres, se promène au-dessus du plateau en clignotant.

« Un avion ! » dit la Guille.

Je précise :

« Non, pas un avion !... un hélicoptère !

— Il est envoyé à notre recherche, faisons-lui des signaux ! »

La Guille agite la lampe en tous sens. Presque immédiatement, ronronnement et lumière se rapprochent.

« Indiquons-lui qu'il peut atterrir ! » s'écrie Gnafron.

Prenant la torche des mains de la Guille, Gnafron se met à courir dans la neige, décrivant un grand cercle qu'il boucle plusieurs fois. Le pilote a compris. L'hélicoptère se rapproche encore, s'immobilise juste au-dessus de l'endroit où Gnafron a tracé son rond lumineux. On distingue à présent sa grosse masse noire. Il descend lentement, prudemment ; il va atterrir. Fouettée par les grandes pales de l'hélice, la neige s'envole dans un tourbillon. Nous nous écartons, aveuglés.

« Ça y est, il s'est posé ! » dis-je.

Et, tout à coup, surgit une silhouette qui vient vers nous en courant.

« Tous sains et saufs ? demande une voix angoissée.

— Tous ! »

M. Mouret ! L'émotion lui coupe la parole. Au lieu de nous gronder, il nous serre contre lui comme il le ferait si nous étions ses propres fils.

« Ah ! mes garçons ! Quelle nuit nous venons tous de passer en bas ! Dire qu'il a fallu attendre la levée du brouillard pour vous repérer ! Que vous est-il arrivé ?

« — Quelque chose d'extraordinaire ! s'écrie Gnafron. Ah ! monsieur, si vous saviez ! »

Mais nous apercevons deux autres silhouettes. Ce sont les gendarmes de l'équipe de secours en montagne. Nous nous précipitons vers eux.

« Vous tombez bien !... Avez-vous vos menottes ? » demande Bistèque.

Les gendarmes restent abasourdis.

« Des... des menottes ?... pour quoi faire ?

— Venez voir ! »

Chapitre 13

Le troisième homme

Sept heures du matin ! Le petit jour commence à blanchir les hauts sommets. Le sauvetage est terminé. Trois voyages ont été nécessaires à l'hélicoptère pour évacuer le chalet. En toute autre occasion, une promenade dans les airs nous aurait enthousiasmés. Après ce qui vient de se passer, nous n'avons même pas pensé à nous en réjouir.

Réconfortés par les grands bols de chocolat fumant que, dans sa joie d'avoir retrouvé ses élèves sains et saufs, M. Mouret a préparés lui-même, nous nous retrouvons à la gendarmerie où les prisonniers ont été amenés.

Malgré l'heure matinale, toute la station est déjà debout, réveillée par les allées et venues bourdonnantes de l'hélicoptère. On ne sait comment, la nouvelle de notre aventure, et surtout celle de l'arrestation de contrebandiers ont déjà fait le tour du village. Des gens se pressent devant la gendarmerie, pour avoir des détails. Le médecin, qu'on vient d'appeler, doit les écarter pour entrer.

Car l'inconnu, si durement frappé dans le chalet, n'est pas encore revenu à lui. Les gendarmes l'ont étendu sur un lit de camp, dans le bureau du brigadier. Il est grand et jeune, avec un visage allongé et des cheveux bruns. Le médecin l'examine longuement.

« Non, rien de grave, dit-il. Un choc à la tête, mais aucune fracture. Cette piqûre l'aidera à reprendre ses sens dans peu de temps.

— Et peut-être sera-t-il plus bavard que ceux-ci ? » grogne le brigadier en dévisageant les deux autres prisonniers à qui il n'a pas pu arracher un mot.

Nous attendons, anxieux. Je ne cesse de regarder cet homme étendu devant nous, et ne peux écarter une pénible pensée. Oh ! si c'était... ! Mais non, ce n'est pas possible. Le frère de Jeannette est parti travailler en Suisse. Pourquoi serait-il revenu ? Pourtant, la ressemblance ! l'âge !... Faut-il croire qu'il a menti à sa sœur... qu'il était vraiment mêlé à cette affaire de contrebande ?...

Les autres Compagnons, je le sens, ont, comme moi, pensé à Billy, sans avoir jamais prononcé son nom. En voulant aider Jeannette, n'aurions-nous réussi qu'à mettre le doigt sur une affreuse réalité ?

Le médecin reparti, l'inconnu ne tarde pas à s'agiter. Il remue le bout des doigts et, lentement, porte la main droite à sa tête, là où elle a heurté le plancher. Puis il laisse échapper un profond soupir. Enfin, ses paupières se soulèvent. Il promène autour de lui un regard vide. Soudain, il aperçoit les uniformes des gendarmes et son visage prend une expression d'effroi. Il se dresse sur son séant et, d'une voix angoissée :

« Je n'ai rien fait !... Je vous jure que je n'ai rien fait ! »

Puis, découvrant les deux prisonniers :

« Ce sont eux ! Oui, surtout le plus grand... Je ne fais pas partie de la bande, je n'ai rien fait ! »

Il se prend la tête dans les mains et se met à sangloter, comme un enfant.

« Votre nom ? » demande le brigadier.

Le jeune homme relève lentement la tête.

« Je m'appelle Billy Nodier, je suis de Lyon. »

Billy ! Nous tressaillons, bouleversés. Gnafron est devenu tout pâle. Ainsi, c'était bien le frère de la petite Jeannette ! Est-ce pour nous le moment de parler ? L'émotion nous paralyse.

Mais, peu à peu, Billy reprend ses esprits. Après le choc nerveux qu'il vient de subir à la vue des gendarmes, il se ressaisit.

« Nous vous avons trouvé sans connaissance, dans un chalet du plateau, dit le brigadier. Qu'y faisiez-vous ? Ces garçons assurent que vous y étiez entré pour vous cacher. »

Billy se tourne vers nous et nous regarde longuement.

« Ces garçons ?... Oui, je me souviens. Je ne comprends pas ce qu'ils faisaient là-haut. Eux aussi s'étaient cachés dans le chalet.

— Ils affirment qu'après les avoir découverts, vous leur avez conseillé de se taire et que vous êtes reparti vous dissimuler dans un coffre. Quand les deux hommes que voici sont arrivés, vous n'avez pas manifesté votre présence, mais, au moment où ils allaient sortir, vous vous êtes jeté sur eux. Ces deux hommes, les connaissiez-vous ? »

Billy regarde l'homme des neiges et son complice. Il hésite, visiblement apeuré. Puis, d'une voix qu'on distingue à peine :

« Oui, le plus grand, je le connais.

— Vous avez fait de la contrebande ensemble, reprend le brigadier. Et, pour une raison que nous ignorons, vous ne vous entendiez plus ? Vous les attendiez là-haut pour laver votre linge sale en famille, n'est-ce pas ? »

Billy tressaille, puis, d'une voix énergique :

« C'est faux ! Je n'ai jamais fait de contrebande !

— Alors ces montres, ces bijoux en or qui viennent de Suisse ? N'était-ce pas pour vous en emparer que vous vous êtes jeté sur ces deux hommes ?

— Vous ne pouvez pas comprendre... »

Billy passe une main sur son front, comme pour chasser un cauchemar, et réclame un verre d'eau.

« Je vais tout dire », soupire-t-il.

Un silence total règne dans le bureau. Kafi lui-même se tient immobile, conscient de l'importance du moment. Nous attendons, anxieux. Enfin, Billy commence :

« Je n'ai rien fait... mais j'étais au courant. Ce trafic dure depuis plusieurs semaines, plusieurs mois. J'y ai été mêlé malgré moi. Je ne suis pas d'ici. Je suis venu à Morzine, à la fin de l'été dernier, travailler au montage du nouveau téléférique. Quand les travaux ont été interrompus, après l'accident, je me suis trouvé sans emploi. C'est à ce moment-là que je suis entré à Photo-Flash. J'étais venu quelquefois au magasin acheter des bobines de pellicule. Me sachant capable de développer des films et tirer des épreuves, l'homme que voici m'a offert du travail, disant qu'il aurait besoin d'un employé quand viendrait la pleine saison. J'ai accepté en attendant la réouverture du chantier. Cet homme savait que j'avais besoin d'argent pour aider ma grand-mère à faire réparer une petite maison de campagne. Au bout de quelques semaines, il m'a proposé un travail supplémentaire. Il s'agissait d'aller chercher, dans la montagne, des cristaux de roche.

— Des cristaux ? s'étonne le brigadier.

— Il m'a expliqué que ces cristaux ne se trouvaient qu'en hiver, quand le gel fait éclater les rochers. Cela ne m'a pas étonné. J'avais lu dans une revue que de tels cristaux existaient en haute montagne et que les gens de Chamonix en faisaient le commerce.

— À Chamonix, oui ! s'écrie le brigadier. Mais pas à Morzine. Personne, dans la région, n'en a jamais trouvé un seul.

— C'est ce que j'ai appris, mais trop tard. Comprenez-moi, c'était la première fois que je venais dans ce pays. Cet homme m'a encore expliqué qu'il ne savait pas, lui-même, reconnaître les pierres cristallines, mais il s'était entendu avec des gens d'ici, habitués à l'escalade. Il les leur achetait pour les revendre à Paris. Ces cristaux étaient déposés dans un chalet d'alpage abandonné. Il s'agissait de l'aider à les descendre dans la vallée. Une nuit, il m'a emmené là-haut.

— Une nuit ? interrompt encore le brigadier. Ça ne vous a pas surpris ?

— Si, mais il avait pensé à tout. D'après lui, la nuit, les risques d'avalanches étaient moins grands ; il aimait aussi beaucoup skier la nuit sous prétexte qu'on avait alors l'impression d'avoir toute la montagne à soi... Et puis, dans la journée, il devait aider sa femme à tenir le magasin. Je l'ai ainsi accompagné trois fois, non sans fatigue, car je ne suis pas bon skieur.

— Et vous montiez au chalet où l'on vous a découvert cette nuit ?

— Non, pas à celui-là... Sans quoi tout aurait été plus vite fini. »

Billy s'arrête un instant pour reprendre sa respiration.

« Donc, poursuit-il, je suis monté là-haut trois fois. Le drame a éclaté au troisième voyage. Au magasin, le photographe avait pris soin de me montrer quelques cristaux, trouvés, assurait-il, aux environs de Morzine. Mais je n'avais jamais vu le contenu des lourds paquets que nous rapportions. Je commençais à avoir des doutes. L'homme prenait trop de précautions, les colis me semblaient trop bien faits pour être confectionnés en haute montagne, avec des moyens de fortune. Alors, j'ai voulu savoir ce qu'ils contenaient. Cette troisième nuit, une nuit de brouillard pareille à la dernière, alors que nous redescendions vers la vallée, j'ai fait semblant de m'égarer. J'ai ouvert le paquet, j'ai vu ce qu'il renfermait : des montres et des bijoux. J'ai compris le trafic que faisait cet individu.

— Alors ?

— Ma première pensée a été, dès que nous serions en bas, de prévenir la police. Par malheur, le photographe a surgi, dans le brouillard, au moment où je reficelais le paquet. Une violente dispute a éclaté. Ah ! le misérable ! Il savait que j'avais laissé, à Lyon, une grand-mère et une sœur que j'aimais beaucoup. Il connaissait leur adresse et avait tout prévu. Si je parlais, il se vengerait sur elles... Si lui était arrêté, ses complices mettraient sa menace à exécution. D'ailleurs, moi aussi, bon gré mal gré, j'étais un complice. Dès notre retour à Photo-Flash, il m'a entraîné dans le laboratoire et là, sous la menace d'un revolver, m'a fait signer un papier par lequel je reconnaissais faire de la contrebande. "Après ça, m'a-t-il dit, fais ce que tu veux." »

Billy se tait un long moment, à bout de souffle, la gorge serrée par l'émotion.

« Et qu'avez-vous fait ? questionna le brigadier.

— Malgré ces menaces, je suis sorti pour aller vous parler. Mais, au moment où je passais devant le *Relais des Dranses,* ma pension, la patronne de l'auberge m'a tendu une lettre que le facteur venait de déposer, une lettre de ma petite sœur ; elle m'écrivait de son lit, malade, puisque ma grandmère, presque aveugle, ne pouvait le faire. Alors, une soudaine frayeur m'a saisi. Je n'ai plus pensé qu'à Jeannette. Si ce misérable mettait sa menace à exécution, comment ma sœur, malade, couchée, pourrait-elle lui échapper ? »

Accablé, Billy baissa la voix :

« Je n'ai pas eu le courage d'aller plus loin. J'ai erré plusieurs jours dans Morzine, sans oser dénoncer cet homme. Puis j'ai laissé entendre que j'avais trouvé du travail en Suisse. Je l'ai même écrit à ma sœur, en lui demandant de ne pas s'inquiéter si elle restait quelque temps sans nouvelles... et j'ai disparu.

— En Suisse ? demanda le brigadier.

— Non, je n'y connaissais personne. J'ai fait cela pour que cet homme me croie affolé et soit persuadé que je ne parlerais pas. Mon idée était de faire prendre la bande entière, d'un seul coup, afin que ma famille ne risque rien. Je suis simplement parti dans une vallée voisine ; sous un faux nom, je me suis fait embaucher dans un petit atelier de mécanique. Plusieurs fois, en cachette, je suis revenu à Morzine épier les allées et venues autour de Photo-Flash. Le misérable m'avait trouvé un remplaçant moins naïf que moi sans doute, et moins scrupuleux. Malheureusement, par précaution, les rendez-vous n'avaient plus lieu au même endroit. J'ai eu beaucoup de peine à découvrir la nouvelle cachette. Je l'ai dit, je ne suis pas très fort skieur. Il m'était difficile de suivre les deux hommes, de retrouver leur piste dans la neige fraîche. Enfin, j'ai eu la certitude que le nouveau repaire se situait dans le chalet où on m'a trouvé cette nuit. Je suis parti hier après-midi, par un chemin détourné. Il faisait grand soleil, mais, très vite, la brume m'a surpris. J'ai quand même poursuivi la montée. Je me suis égaré. J'ai marché longtemps, très longtemps. La nuit est venue, je n'ai pas renoncé. Enfin, j'ai atteint le refuge. Il était très tard. J'ignorais l'heure. Une chute avait arrêté ma montre. J'ai écouté devant la porte, avant d'entrer. Il n'y avait personne... du moins je le croyais. Les complices, venus de Suisse, étaient-ils déjà passés ? J'avais emporté des cordes. Mon intention était de les laisser déposer leurs paquets, puis de me jeter sur eux, de les maîtriser, l'un après l'autre, de les ligoter et de les transporter, bâillonnés, dans le tas de foin. Après quoi, j'aurais attendu les autres et me serais débarrassé d'eux de la même façon. Ensuite, je serais descendu avertir la gendarmerie. »

Billy soupire encore :

« Bien sûr, c'était insensé de ma part, de m'attaquer seul à quatre hommes, mais je voulais que toute la bande soit prise en même temps... et je comptais sur la chance, sur mon courage, pour m'aider. Quand le chien de ces garçons a aboyé, je n'ai pas su ce qui m'arrivait. J'ai bondi de ma cachette. Pensant qu'ils s'étaient réfugiés là par hasard, j'ai voulu leur expliquer ma présence. Je n'en ai pas eu le temps ; les deux autres arrivaient. J'ai demandé aux enfants de se cacher et j'ai regagné le coffre où je me dissimulais. À la voix, j'ai aussitôt reconnu le photographe. J'ai attendu que les deux hommes s'emparent de leur butin, placé sous des lames du plancher, et j'ai bondi. La chance ne m'a pas aidé... et les garçons sont arrivés trop tard... À présent, c'est fini. Puisque je n'ai pas réussi, vous pensez que j'ai inventé cette histoire. »

Billy relève la tête, regarde le brigadier.

« N'est-ce pas, vous ne me croyez pas ? Pour vous, je suis un complice, peut-être celui qui apportait, là-haut, les paquets de contrebande... ou bien vous pensez que je comptais régler, à coups de poing, une question d'argent ? »

Le brigadier ne répond pas, visiblement embarrassé et impressionné par ce récit. Mais il n'est pas gendarme pour rien. Ce ne serait pas la première fois qu'un malfaiteur joue la comédie pour échapper à la justice. Cette pensée, Billy l'a comprise. Alors, instinctivement, il se tourne vers nous, comme s'il devinait que nous pouvons l'aider. Gnafron, toujours très pâle, saisit l'occasion. D'une voix ferme, il déclare :

« Mes camarades et moi n'avons pas perdu un

mot de ce que vient d'expliquer cet homme. Nous pouvons prouver qu'il s'appelle bien Billy Nodier et que ce qu'il a dit est vrai. »

Brigadier et gendarmes restent interloqués.

« Comment !... vous le connaissiez ?

— Nous ne l'avions jamais vu avant cette nuit, mais nous le connaissons par sa sœur.

— Sa sœur ?...

— Oui, poursuit Gnafron, avec la même assurance, nous pouvons prouver qu'il a dit la vérité. Cette lettre à sa sœur, dont il a parlé, il l'a réellement écrite. Nous l'avons eue entre les mains. Nous pourrions même la réciter par cœur. En tout cas, depuis huit jours, nous surveillons les sorties du photographe. Billy n'était pas avec lui. L'homme qui l'accompagnait était bien celui-ci. Nous n'avons pas pu nous tromper.

— Et la scène du chalet, enchaîne la Guille, s'est exactement passée comme il l'a racontée. Il s'est précipité hors du coffre pour maîtriser les deux hommes et nous a appelés à son secours. S'il était coupable, il aurait cherché à s'enfuir quand le chien de Tidou a aboyé. Il allait tout nous expliquer, quand les autres sont arrivés. Il n'en a pas eu le temps. »

À mon tour, je me plante devant les gendarmes.

« Et nous pouvons aussi fournir la preuve que le photographe avait peur d'être dénoncé par lui. Il est allé jusqu'à Lyon, chez la petite Jeannette, pour essayer de savoir ce qu'était devenu Billy. Il avait même pris la précaution de se déguiser, avec une fausse moustache et des lunettes.

— S'il était déguisé, objecta le brigadier, comment a-t-on pu le reconnaître ?

— À cause de sa bague, cette grosse bague qu'il porte au petit doigt. Regardez-la de près. Elle porte l'initiale M. D'ailleurs, lisez ! Nous avons des lettres qui vous donneront tous les détails. »

Je sors de la poche de mon anorak les lettres de Mady et les tends au brigadier. Il les parcourt rapidement, puis nous regarde, complètement ahuri.

« Alors, bredouille-t-il, vous... vous saviez tout ? »

Mais le plus stupéfait est bien le pauvre Billy. Il promène sur nous un regard effaré, se demandant s'il ne rêve pas. Quant à M. Mouret, c'est simple, il en est resté bouche bée.

« Voyons, voyons, répète-t-il, ce n'est pas possible. Vous êtes victimes de votre imagination. Tout cela, je l'aurais su ! »

Pour le convaincre... et convaincre les gendarmes, nous racontons par le menu l'aventure secrète qui, pendant ces trois semaines, nous a tenus en haleine. Billy écoute, suspendu à nos lèvres. En apprenant que sa petite sœur est venue à Morzine, qu'elle a failli mourir dans la neige, il s'avance vers nous, les bras tendus, pour nous serrer la main.

« Ainsi, s'écrie-t-il, vous l'avez sauvée !... Vous l'avez même sauvée deux fois puisque, sans vous, ces bandits courraient encore et se seraient peut-être vengés sur elle. Oh ! comment vous remercier de ce que vous avez fait pour elle... pour moi ? »

Des sanglots montent dans sa gorge, sa voix se trouble.

« Voyez ! reprend-il. L'émotion est trop forte, je ne puis m'empêcher de pleurer... mais cette fois, c'est de joie ! »

Nous essuyons nos yeux humides. Les gendarmes

ne savent quelle contenance prendre pour ne pas se montrer attendris. Enfin, le brigadier se tourne vers les contrebandiers.

« Qu'avez-vous à reprendre à ce qui a été dit ? »

Les deux misérables baissent la tête et se taisent. Puis l'homme des neiges regarde Kafi en serrant les poings.

« C'est à cause de ce sale chien, murmure-t-il entre les dents.

— Il ne s'agit pas du chien, reprend un gendarme. Qu'avez-vous à dire pour votre défense ? »

Le photographe laisse échapper un soupir de résignation. Comprenant qu'il ne lui est plus possible de se soustraire à la justice, il reconnaît que Billy n'est pour rien dans cette affaire de contrebande. Quant au complice, qui fait encore plus triste mine, il livre le nom des deux compères qui, de Suisse, leur apportaient les paquets de bijoux.

Alors, l'étau d'angoisse qui étreignait le cœur de Billy depuis des semaines se desserre. Pour la première fois, un sourire apparaît sur son visage amaigri. Il tend encore les mains vers nous.

« Merci, mes garçons ! merci ! »

Puis, se penchant pour caresser Kafi :

« Merci à toi aussi, brave chien. Tu nous as tous sauvés ! »

Chapitre 14

« Pas de photographes ! »

Le train roulait à toute vitesse dans la grisaille d'un paysage monotone où les arbres nus, sans les scintillements de la neige, avaient l'air de pauvres êtres morts.

Cependant, nous n'étions pas tristes et, ce matin quand nous avions quitté Morzine, notre cœur ne s'était pas serré à la pensée de laisser les éblouissants champs de neige. Notre joie était si grande ! Partis trente-six, de Lyon, nous revenions trente-sept.

Car Billy était avec nous. Ce matin, en quittant la gendarmerie, M. Mouret l'avait emmené au baraquement. Après une pareille nuit, le pauvre garçon avait besoin de réconfort... Il avait grand besoin, surtout, qu'on lui parle de sa sœur, dont il ne savait rien depuis si longtemps.

Quand il avait appris que nous quittions Morzine le jour même, il n'avait pas hésité. Tant pis pour ses affaires, restées dans un village de l'autre côté de la montagne ; il reviendrait les chercher plus tard. Il rentrerait à Lyon avec nous et reverrait tout de suite sa grand-mère et sa sœur.

Installé dans notre compartiment, il se remettait de ses terribles émotions et souriait. Nous l'avions tout de suite adopté, à l'égal d'un grand frère. Il était si sympathique !

M. Mouret, lui aussi, s'était assis parmi nous. Pauvre M. Mouret ! Il n'était pas encore revenu, lui, de sa nuit d'angoisse. Ah ! il s'en souviendrait long-temps de son dernier jour à Morzine !

« Quand j'y pense, redisait-il, vous saviez qui était cette fillette trouvée dans la neige et vous n'aviez rien dit à personne... pas même à moi !

— Oui, avoua Gnafron en rougissant, c'était mal... C'est surtout ma faute à moi. Plusieurs fois, nous avons été sur le point de tout vous dire. Nous avions peur que vous ne nous empêchiez de conti-nuer notre enquête, que vous ne parliez aux gen-darmes.

— Vous étiez donc sûrs de retrouver vous-mêmes Billy ?

— Oh ! non, m'sieur, pas sûrs du tout... mais c'était plus fort que nous... Comme Jeannette, Billy n'avait rien fait de mal, il fallait le sauver.

— Braves garçons ! fit le maître en souriant, je vous comprends... mais avouez que vous m'avez fait passer une drôle de nuit blanche. Si je n'ai pas attrapé une maladie de cœur, c'est qu'il est solide !

— Nous le croyons volontiers, répondit le Tondu. Si vous saviez le mauvais sang que toute la bande s'est fait quand le brouillard est arrivé ! Nous avions si bien pris nos précautions pour être de retour à l'heure.

— Je sais, approuva le maître en lui posant la

main sur l'épaule, ce n'est pas entièrement votre faute. À présent que tout est fini, et bien fini, je vous pardonne... et même, vous félicite pour votre cran... sans oublier ce bon chien qui a trouvé moyen de faire ses classes de neige malgré vous et malgré moi. »

Et, regardant l'oreille trouée de Kafi qui s'approchait pour quêter une caresse :

« Dire que ces bandits auraient pu le tuer ! Une si bonne bête, si intelligente et courageuse ! »

Mais nous approchions de Lyon. Pareil à un cheval qui sent son écurie, on aurait dit que le train s'emballait. Dans la nuit qui tombait, les lumières défilaient plus nombreuses, derrière les vitres. Nous traversions la banlieue. Au loin, se découpant sur le ciel, je reconnus notre colline de la Croix-Rousse. Puis le train franchit le Rhône, dont les eaux reflétaient les lampadaires des quais. Mon cœur se mit à battre très fort. Ce matin, en quittant la gendarmerie, j'avais couru à la poste envoyer un télégramme à Mady, un télégramme qui disait simplement : « PRÉVENIR JEANNETTE, BILLY RETROUVÉ, RENTRONS CE SOIR AVEC LUI. » La dépêche était-elle bien arrivée ? Mady avait-elle eu le temps d'avertir Jeannette ?

... Enfin, après avoir longtemps ralenti, le train pénétra sous le grand hall de la gare. Penchés à la baie, nous cherchions de tous nos yeux parmi la foule qui se pressait sur le quai. Tout à coup, je reconnus, côte à côte, le manteau bleu de Mady et celui, vert pomme, de Jeannette, devant une vieille femme qui s'appuyait sur une canne blanche.

Oh ! cet instant où, sautant le premier sur le quai, Billy se précipita vers sa sœur et sa grand-mère pour les serrer dans ses bras ! Non, cet instant, je ne l'oublierai jamais. Il était notre plus belle récompense.

« Mon grand Billy, répétait Jeannette en pleurant, je croyais t'avoir perdu pour toujours. Où étais-tu ? Pourquoi nous avoir si longtemps laissées sans nouvelles... ? »

Pauvre petite Jeannette ! Elle ne s'arrêtait de poser des questions que pour embrasser encore son frère.

La laissant à ses effusions, nous nous étions tournés vers Mady, guère moins émue, et absolument effarée.

« Moi non plus, je ne comprends pas, redisait-elle en serrant les mains que nous lui tendions. Voyons, Tidou, d'après ta dernière lettre, celle que j'ai reçue hier, vous n'aviez plus aucun espoir de réussir. Que s'est-il produit depuis ?

— Beaucoup de choses, Mady !... Demande plutôt à Kafi. »

Elle se pencha vers mon chien, comme s'il pouvait répondre, mais, au moment où elle étendait la main pour le flatter, elle laissa échapper un petit cri d'effroi :

« Mon Dieu !... son oreille ! Il lui est arrivé un accident ?

— Non, Mady, pas un accident... une balle ! »

Mady ouvrit des yeux effarés.

« Une balle ?... Vous auriez eu affaire à des malfaiteurs ? »

Je commençai le récit de notre aventure mais, au même moment, plusieurs personnages nous entourèrent, se penchant vers nous, carnets en main.

« Des journalistes ! » s'écria Bistèque.

Comment ! des journalistes ? Notre poursuite dans la neige, l'arrestation des contrebandiers étaient déjà connues à Lyon ? Et qui avait annoncé notre arrivée par ce train ? Encore un mystère... que nous ne chercherions pas à éclaircir, celui-là !

Et les questions de pleuvoir autour de nous, rapides, précises, pressantes.

« Ah ! non, s'écria tout à coup Gnafron en apercevant un appareil photographique braqué dans notre direction. Pas de photographes !... Nous en avons assez des photographes ! »

Jouant des coudes, se démenant comme un beau diable, il tentait d'écarter le malheureux journaliste qui reculait, protégeant de son mieux son appareil.

« Oh ! Gnafron, intervint doucement Mady, laisse-le faire son métier. Nous serons si heureux, plus tard, de regarder cette photo, où nous serons tous réunis avec ceux que vous avez sauvés. »

Gnafron sourit et n'insista plus. Bah ! après tout, il n'avait rien contre les photographes... en général. Et pourquoi ne pas faire plaisir à Mady qui, de loin, nous avait tant aidés ?

Et chacun prit la pose, Kafi au premier plan, les oreilles dressées, comme s'il tenait absolument à ce qu'on voie bien le méchant petit souvenir que lui avait laissé l'homme des neiges...

Table